2-19-95

하나님, 정말 당신이십니까?

하나님의 음성을 듣는 법

로렌 커닝햄
제니스 로저스 공저

예수전도단 번역

초자연적인 사건에 대하여 존 쉐릴

 예수 전도단

Is That Really You, God?

Hearing the Voice of God

Loren Cunningham
with Janice Rogers

차   례

추천의 글
초자연적인 사건에 대하여
1. 번쩍이는 것이 다 금은 아니다 ························ 9
2. 가족으로부터 이어받은 유산 ······················· 17
3. 우리의 인생을 바꿔놓은 어린소녀 ·················· 25
4. 물결치는 파도 ··································· 33
5. 조촐한 시작 ···································· 41
6. 아내이자 친구인 동역자 ·························· 56
7. 하나님은 당신에게 직접 말씀하신다 ················ 65
8. 푸른 파도, 거친 파도 ···························· 75
9. 본격적인 시작을 위한 열쇠 ························ 83
10. 청결한 마음으로 하나님께 나아오는 것 ·············· 95
11. 하나님의 인도하심이 배가 됨 ····················· 112
12. 성공 후에 따르는 위험 ··························· 122
13. 뮌헨: 세계의 축소판 ···························· 131
14. 어두운 그늘에 묵묵히 서 계시던 분 ··············· 137
15. 하나님의 음성을 듣기 위한 세 가지 단계 ············ 149
16. 칼라피, 집으로 돌아오다 ························· 161
17. 배를 포기하지 말라 ····························· 176
18. 아무도 돌보는 사람이 없는가? ···················· 186
19. 물고기 이야기 ································· 195
20. 하나님을 더 알아간다는 것 ······················· 203

추천의 글

Youth With A Mission(YWAM)의 설립자인 로렌 커닝햄 목사는 매사에 하나님의 음성을 듣고 순종하며 살고자 하는 분이다. 이 책의 제목인 「하나님, 정말 당신이십니까?」가 말해 주듯이 하나님의 뜻이라면 어디든지 따르고 무엇이든지 하려고 하는, 전적으로 하나님을 위해 살며 그리스도의 몸된 교회를 상쾌하게 하는 주님의 종이다. 그래서 그의 주위에는 셀 수 없는 기적과 표적이 나타나며 아침이슬과 같은 헌신된 젊은이들이 수없이 일어나 온 세계에 다니며 복음을 전파하고 있다.

이 책을 읽으시는 분은 예수님을 정열적으로 사랑하는 그의 마음에 쉽게 동참하게 될 줄로 믿는다. 그가 25년 전 젊은이의 한 사람으로 자신을 하나님께 헌신했을 때 하나님께서는 그에게 큰 파도와 같은 물결이 전세계의 대륙을 덮는 환상을 보여주셨다. 그것을 통해 예수 그리스도를 믿는 수많은 젊은이들이 일어나서 그 큰 파도와 같이 세계의 각 나라로 복음을 들고 들어가게 될 것이라는 비전을 가지게 되었다.

하나님께서는 그 비전을 이루는 한 방법으로 1960년 YWAM을 창설케 하셨다. 오늘날에 와서는 이 비전은 크게 일어나 YWAM의 영구적인 지부가 70여 개의 나라에 세워지기에 이르렀다.

예수전도단은 1973년에 한국교회를 섬기기 위해, 또 온세계를 복음화하고자 YWAM과 관계없이 설립되었으나 1980년에 한국 젊은이들로 하여금 보다 효과적으로 온 세계 각국에 복음을 들고 나아가 선교할 수 있도록 하기 위해 국제 YWAM과 연합되었다.

이 책을 읽으시는 모든 분들이 도전을 받아 하나님이 바로 나에게 말씀하시는 것이 무엇인가를 듣고 그 말씀에 순종하여 살게 되므로 세계 복음화에 함께 참여하는 큰 축복을 누리게 되기를 기원하는 바이다.

1986

David E. Ross

오대원

초자연적인
사건에 대하여

이 책은 초자연적인 사건들에 대하여 공공연하게 이야기하고 있습니다.

그리고 제 개인적으로는 그것을 전부 믿습니다.

나의 아내 엘리자베스와 내가 성령쇄신 운동에 관한 초기의 몇 권의 책들-십자가와 깡패, 복음의 밀수꾼, 피난처-을 썼을 때에도 그 속에 신비와 기적에 관한 내용들이 포함되어 있었습니다. 그것을 포함시킨 이유는 사람들의 관심을 불러일으키기 위해서가 아니라 그런 요소가 없었더라면 우리가 말하고자 하는 사건 자체가 일어날 수 없었기 때문입니다.

지난 10년간 미국 출판계는 그리스도인들의 개인적인 헌신과 환경에 필요한 것들을 강조하는 듯한 추세였습니다. 그러나 항상 그렇듯이 추는 다시 하나님이 주도권을 가지시고 행하시는 것과 우리가 할 바를 해야한다는 진리의 양면성 사이에서 하나님의 주권 쪽으로 기울어지고 있습니다. 로렌 커닝햄 목사님에 의해 쓰여진 이 책은 오늘날에도 우리의 삶속에 역사하시는 하나님의 주권적인 섭리에 대한 깜짝 놀랄 만한 증거들로 가득차 있습니다. 로렌 목사님의 체험은 인간의 말로서는 설명하기가 어려운 일이었기 때문에 로렌 목사님과 공동저자인 제니스 로저스와 저는 결단을 내려야만 했습니다. 우리는 원본을 다시 보면서 이 하나님의 기적적인 인도하심에 관한 사건들 중, 정확성을 인정하기 위한 성서적 기준인 '두세 증인'에 의해 확증될 수 없는 사건들은 이야기에서 제외시켰습이다. 저도 전세계에 흩어져 있는 113개 YWAM 지부들 중 한 곳에서 몇 주간 동안 함께 생활하면서 이 책을 쓰는 것을 감독했고 이 일의 편집 고문으로서 일했으므로 저 자신도 이 결정을 내린 사람들에 포함됩니다.

이것은 내가 편집을 하면서도 다른 편집자들을 가르치기도 하는 새로운 경험이었는데 그러는 가운데 나는 로렌 목사님의 여동생이기도 한 제니스 로저스라는 훌륭한 새 작가가 탄생했다는 것을 느꼈습니다. 이 저자는 모든 그리스도인들에게 있어서 가장 중요한 주제인 '하나님의 음성을 어떻게 분별할 수 있는가?'에 대해 훌륭한 이야기체와 확실한 가르침의 형식을 적절히 조화시켰습니다.

그런데 우리 세 사람으로서도 결코 해결하지 못한 문제가 하나 있었습니다. 훌륭한 이야깃거리(YWAM에서 오랫동안 몸담았던 사람들이라면 누구나 좋아하는)가 너무 많았고, 또 이 이야기에서 제외시키기에는 너무나 아까운 인물들도 많이 있다는 것입니다. 그러나 일어난 일들(이 책 분량으로 열두 권도 더 넘을 것입니다)을 다 쓸 수는 없었기 때문에 제가 결국 객관적인 입장에서 별로 달갑지 않은 선택을 해야 했습니다. 그러므로 여기에 실린 이야기들은 다만 그 풍성한 내용들을 대표하는 본보기에 불과한 것입니다.

이미 YWAM을 알고 계신 분이라면 여러분이 좋아하는 이야기들을 찾아내려고 하지는 마십시오. 아마 여기 없을지도 모릅니다. 그러나 만약 여러분이 YWAM을 모르시는 분이라면 여러분 앞에는 인간의 삶 속에 능력으로 임하시는 하나님, 여러분의 삶 가운데 초대되기를 기다리시는 그 하나님에 대한 첫번째 경험을 하게 될 그 모험이 여러분 앞에 있습니다.

존 쉐릴

1
번쩍이는 것이 다 금은 아니다

나는 팜비치에 있는 산드라 고모와 조지 고모부 집의 넓은 대리석 계단을 뛰어 올라갔다. 그 집은 벤더빌트 가족으로부터 사들인 레이크워트의 바닷가에 있었다. 그 집의 높은 창문을 통해 흘러 나오는 황금빛과 열대 나뭇잎 사이에 달린 조명 불빛이 플로리다의 밤을 밝혀주고 있었다. 나는 이중문 앞에서 초인종을 눌렀다. 여느 때와 다름없이 약간 쌀쌀맞고 딱딱한 호킨스 아저씨가 빗장을 열고, 나를 조각들과 그리스식 도자기들로 우아하게 장식된 대리석 홀로 안내했다.

"안녕하세요, 로렌 주인님!" 내 나이 스물 여섯 살밖에 안됐는데도 호킨스는 여전히 나를 '로렌 주인님'이라고 불렀다.

"미한 부인께서 서재에서 만나시겠다고 하십니다."

"고마워요, 호킨스, 좋아보이시는군요."

호킨스는 가볍게 인사하고 나를 서재로 안내한 후 고모를 모시러 갔다. 나는 산드라 고모의 겨울 별장에 있는 20여 개의 방 중에서, 페르시안 풍의 양탄자와 벽을 꽉 메운 책장들이 있고 녹색과 고동색으로 조화된 이 서재를 제일 좋아했다. '그렇지만 너는 결코 이곳에 어울리지 않아.' 나는 안락 의자 뒤에 걸린 거울에 비친 내 모습을 흘끗 쳐다보면서 자신에게 속삭였다. 한 쪽에서 빛이 비치자 20대 초반인 내 얼굴에는 10대에 났던 여드름 자국이 여실히 드러났다.

산드라 고모가 원하던 대로 내가 고모와 함께 살았더라면 벌써 고급 피부과 전문의사에게 가 보았을 것이다. 약간 진한 갈색의 곱슬 머리인 내 머리는 팜비치의 태양을 즐기는 사람들에게서 흔히 볼 수 있는 빛바랜 머리색깔과는 달랐다. 나는 산드라 고모처럼 멋지게 후리후리했다. 그렇지만 내가 그렇게 마른 데는 그들과 다른 이유가 있었다. 이번에 세계를 일주하는 동안 충분히 먹지 못했기 때문이었다. 내 눈길은 조지 고모부가 가장 좋아하는 어두운 색깔의 가죽 의자 옆에 세워 놓은 크고 빛나는 지구본에 멈췄다. 내가 스무살이 된 이래로 지금까지 육년 동안 내 마음 속에 살아 있는 그 특이한 환상을 나는 아주 짧은 순간에 다시 보았다. 이 환상은 선교 사역을 하는 10대나 20대 초반의 젊은이들이 세계 모든 대륙의 해안을 행진하면서 물결처럼 그 대륙에 상륙하는 모습이었다···. 이 환상은 매우 흥미진진한 것이다. 어떻게 그렇게 성급하게 그것이 주님께로부터 온 명령이라고 생각할 수 있었을까? 많은 사람들은 '비전'을 가지고 있다. 혹시 내가 가진 이 비전도 하나님을 위해 크게 역사를 일으킬 수 있는, 하나님의 특별한 인도하심들 중의 하나가 될 수 있을까? 만약에 내가 나의 비전에 대해 산드라 고모에게 얘기한다면 논리적으로만 생각하는 고모가 무척 놀라리라는 것을 알았다.

산드라 고모가 들어오시고 게일이라는 큰 개도 뒤따라 왔다. "돌아와서 반갑구나." 산드라 고모는 페르시안 풍의 양탄자를 미끄러지듯 걸어오시면서 말씀하셨다. 반가움의 표시로 나에게 펄쩍 뛰어오른 개와는 대조적으로 고모는 조용하고 우아했다. 산드라 고모와 나의 아버지는 각 곳을 돌아다니면서 부흥회를 인도하시는 목사님이었던 가난한 아버지 밑에서 자라났다. 그들의 어린시절은 품위와는 동떨어진 것이었다.

"네가 여기까지 와 주어 정말 기쁘다. 조지 고모부도 곧 돌아오실 거야." 조지 고모부는 틀림없이 아직도 그의 클럽에 계실 것이다. 조지 미한은 방직업계에서 성공하여 많은 돈을 벌어 여름에는 플라시드 호수에서, 겨울에는 팜 해변, 그리고 봄 가을에는 로드섬으로 옮겨다니면서 생활을 즐겼다. 고모부에 대한 가장 생생한 나의 기억은 여름에 지내는 큰 별장에서, 골프 연습을 위해 한 바구니나 되는 공을 호수 속으로 쳐내던 장면이었다.

"로렌, 굉장히 피곤하지? 간단한 간식 좀 하는 것이 어떻겠니?" 산드라 고모가 말했다. 내가 고모님이 해주시는 음식을 즐기는 것을 아셨기 때문에 나에게 늘 하시는 질문이었다. 가정부가 들여온 음식을 허겁지겁 먹고 있는 내 모습과는 대조적으로 산드라 고모는 조금씩 잡수셨다. 나는 산드라 고모에게 세계여행을 통하여 내가 본 젊은 선교사들에 대해, 그 특이한 비전의 의미를 이해하려고 애썼었다고 말씀드렸다. 산드라 고모는 그 일에 대해 별로 흥미가 없어 보였다. 산드라 고모는 어렸을 때 기독교 신앙으로 인해 상처를 많이 받았기 때문에 그런 일들은 뒤로 제쳐놓고 싫어하셨다. 고모는 멍하게 내 얘기를 듣고 있다가 내가 잠시 말을 멈추자 재빨리 내 말을 가로챘다.

"네 말을 들으니 참 기쁘구나, 로렌. 젊은 사람들이 이런 일을 한다는 것은 참 좋은 일이지, 서로 할 얘기는 많지만 네가 몹시 피곤해 보이니 내일 아침에 다시 얘기하기로 하자." 산드라 고모는 일어선 채 이야기 했다.

나는 내 방으로 정해 준 이층의 침실로 올라가면서 생각했다. 산드라 고모가 무엇에 관해 나에게 얘기하고 싶어하는지 나는 너무나 잘 알고 있었다. 그것은 조지 고모부로부터의 관대한 제의일 것이다. 그러나 나는 그 관대한 제의에 관심이 없었다. 잘 정리되어 있는 비단 이불 속으로 미끄러지듯 들어가 누워 위로 그 방 주위를 비추는 푸른 달 그림자를 보며 염려하기 시작했다. 내일이면 주님께서 나에게 말씀하신 것을 고모님께 얘기해야 될 것이다. 나는 팔베개를 한 채 어두운 천장을 바라보았다. 하나님의 음성이라는 것으로 인해 이미 상처 입은 사람에게 나도 주님의 음성을 들었다는 것을 어떻게 설명할 수 있을까? 고모에게 말하기 전에 하나님의 인도하심에 대해서 다시 한번 확인하고 이전에 산드라 고모를 실망시켰던 부분까지 포함하여 모든 것에 대해 정말 정직하게 바라보아야만 했다.

하나님의 음성을 듣고 순종하는 문제로 인해 나와 내 가족은 여러 번 삶의 전환점에 서 있을 수밖에 없었다. 나의 친할아버지는 텍사스 주 우발드라는 작은 도시에서 세탁소를 운영하며 아주 안락하게 살고 있었다. 그런데 어느 날 복음을 전하라는 '부르심'을 받았다. 할아버지는 즉시 세탁소를 팔기 위해 내놓았다. "너 바보구나. 내가 대놓고 말하겠는데…." 큰할아버지의 말씀에 할아버지는 이렇게 대답했다. "내가 정말 바보가 되는 때는 하나님께서 하시는 말씀을 듣고도 순종하지 않는 바로 그때예요." 나는 늘 그 후에 일어났던 일에 흥미가 있었다. 처음에 할아버지는 하나님의 부르심에 순종하여 직업을 가진 채 텍사스의 여러 도시를 옮겨다니며 주말에만 시간제로 복음을 전했다. 그러던 중 갑자기 큰 위기에 부딪히게 되었다. 1916년에 할아버지는 가족과 함께 산안토니오에 살고 있었는데 그 무렵 무서운 천연두가 나돌고 있었다. 두 아들이(두 남자아이와 세 명의 누나들이 있었다) 그 천연두에 걸렸다. 할아버지는 아픈 부인과 어린 아들들과 함께 살기 위해서 병원 격리 병동으로 들어갔다.

2주 동안 커닝햄 할아버지는 부인과 아이들의 침대 옆에서 밤을 지새며 지냈다. 할아버지의 간호 덕분인지 병세는 호전되는 것처럼 보였다. 할아버지는 그의 딸들에게 그들이 돌아올 테니 집을 치워 놓으라고 하셨다. 그러나 그때 갑자기 할머니의 상태가 악화되기 시작했다. 할머니는 끝내 건강을 회복하지 못한 채 세상을 떠나고 말았다. 보건 당국에서는 할머니를 병원에서 다른 곳으로 옮기지 말고 바로 장사지내야 된다고 주장했다. 몇시간 후에 정신이 거의 나간 할아버지와 두 아들이 할머니를 싣고 돌아오기로 되어 있던 그 앰뷸런스를 타고 집에 돌아왔다. 누나들은 그들을 맞기 위해 즐겁게 집 밖으로 뛰쳐나왔다. "어머니는 어디 계세요?" 그들이 물었다. 할아버지의 이야기를 다 듣고 난 뒤 큰딸인 아르네트가 크게 소리치며 안으로 뛰어 들어갔다. 둘째 딸 거트루드와 셋째 딸인 산드라는 서로 부둥켜 안고 울었다. 그러나 비극은 거기서 끝나지 않았다. 그날 보건 당국에서 나와 할아버지집에 있는 침구와 옷들을 모두 꺼내어 마당에서 불태워야 한다고 했다. 하루아침에 할아버지와 그의 가족은 모든 것을 잃어버렸다. 가족이 함께 있다는 것만 빼놓고 어떤 의미에서는 서로서로를 잃어버렸다. 그 다음 단계로 일어났던 것은 바로 상호간의 관계였다. 그러나 어떤 의미에서는 바로 그 다음에 일어난 일로 인해 서로의 관계마저도 깨어지고 말았다.

놀랍게도 커닝햄 할아버지는 이 계속되는 슬픔을 당한 지 얼마 되지 않아서 전적으로 복음을 전할 것을 선포하셨다. 그러나 그의 딸인 산드라 고모를 크게 실망시킨 것은 할아버지가 일을 처리하신 방법이었다. 하나님의 음성을 듣는다는 것은 그렇게 어려운 일이 아니다. 우리가 주님을 안다고 하는 것은 우리가 벌써 그의 음성을 듣고 있다는 것이다. 이 음성이라는 것은 우리를 그분께 처음으로 데려다 주는 것이다. 그 내적인 인도하심이 있다. 그러나 우리가 하나님의 음성을 한 번 듣고 나서 계속해서 그의 목소리에 귀를 기울이지 않는다면 우리는 하나님의 우리를 향한 최선을 놓칠 수도 있다. '무엇을 하라'는 인도하심을 안 후에는 '언제' 그리고 '어떻게'를 알아야 된다. 그런데 할아버지는 복음을 전하라는 그의 부르심에 대해서는 순종했지만 하나님께서 구체적으로 어떻게 그 일을 하기 원하시는지에 대해 하나님의 인도하심을 구하지 않았다. 만약에 할아버지가 하나님이 어떻게 인도하시기 원하신다는 것을 계속적으로 구했다면 아마도 그 후 잇따라 일어났던 고통은 훨씬 적었을 것이다.

할아버지는 순회 성경 교사로서 일하기 원하셨다. 그는 다섯 명이나 되는 아이들을 늘 데리고 여행할 수 없었기 때문에 아이들을 각각 다른 집에 맡겼다. 처음에는 아이들을 친척 집에 그리고 나중에는 잡일을 시키려는 친구들에게 아이들을 맡겼던 것이다. 그 당시에는 아이들이 세끼 밥을 먹을 수 있고 그들이 잘 수 있는 곳만 있으면 일단 그들이 돌보아지는 것으로 간주했다. 할아버지의 자녀들은 그의 결정에 각각 다른 반응을 보였다. 산드라 고모와 아르네트 고모는 그들이 어렸을 때 겪었던 어려움과 슬픔을 할아버지의 '어리석은 부르심'의 탓으로 돌렸다. 그들은 이제 이런 종류의 기독교 신앙에 대해서는 무관심하기로 결심했다. 그들이 성장한 뒤에는 각자 원하는 길로 갔고 사업에 몰두하면서 할 수 있는 만큼 최선을 다해 돈을 벌었다. 그것이 어머니와 집을 잃어버린 것에 대한 그들의 보상책이었다. 그들은 성공했다. 아르네트 고모도 돈을 많이 벌었지만 산드라 고모는 크게 성공하여 결국 3개의 큰 저택을 소유하게 되었다.

나의 아버지 톰은 두 아들 중 맏이었다. 놀랍게도 아버지는 어린 시절 집을 아홉 군데나 옮겨다니면서 어렵게 자라왔는데도 불구하고 한번도 할아버지가 하나님의 부르심에 순종한 것에 대해 원망하지 않았다. 오히려 아버지는 열 일곱 살 때 역시 부르심을 받았다는 것을 알았다. 아버지는 할아버지와 함께 여행을 다니면서 남서부에 걸쳐서 부흥집회를 열었다. 언제나 그렇듯이 아버지가 이런 결정을 한 후 이것에 대한 도전이 다가왔다. 좀처럼 편지를 안하는 마이애미에 사는 큰누나 아르네트가 편지를 보내온 것이다.

아버지는 아르네트 고모가 보낸 딱딱한 내용의 편지를 읽었다. 그 편지에는 아버지가 고등학교를 졸업하면 공학 학위를 받을 수 있도록 대학에 보내겠다고 씌어 있었다. 굉장한 기회였다. 그렇지만 아버지는 이 제의를 받아들인다면 부르심으로부터 멀어질 것을 알았다. 그래서 아르네트 고모에게 고맙긴하지만 그 제의를 받아들일 수 없다고 얘기했다.

아르네트 고모의 반응은 무척 날카롭고 거칠었다. "종교라는 것을 구실 삼아 자신에 의지해서 살려고 한다면 나는 더이상 오빠와 상관 없이 살겠어요." 그녀는 편지에 그렇게 썼다. 그것이 사실인 것처럼 보였기 때문에 아버지는 그 말로 인해 마음이 괴로우셨다. 특별히 아버지가 할아버지의 모임을 돕기 시작할 때부터 할아버지는 결코 더 편안한 위치로 올라가지 않았다. 그는 고통당하는 자와 몇 명 모이지 않는 모임을 돕기 원했고 그런 분들이 줄 수 있는 헌금은 깡통 음식이나 채소 같은 것들이었다. 가끔은 닭도 있었다. 어떤 때에는 2주 동안이나 하루 세끼를 설탕이나 향료도 넣지 않고 끓인 사과만 먹고 지냈다.

3년 동안 빈약한 급료를 받은 아버지는 너무나 피곤해졌다. 그때 아버지는 열 아홉 살이었는데 그는 복음을 전해야 한다는 것을 알았지만 어느 정도 기다린 후에 그 일을 하기로 마음먹었다. 그는 할아버지를 떠나 오클라호마의 볼티모어 호텔 공사장의 높은 곳에서 작업하는 일자리를 찾아냈다.

어느날 아버지는 24층에서 6인치 넓이의 도리 위에 앉아 있을 때 거대한 크레인이 큰 뭉치의 재목을 끌어올리는 것을 보았다. 그런데 갑자기 그 한 뭉치가 빠져 나와 바로 아버지를 향해 떨어져 내려오고 있었다. 그 재목더미가 아버지를 내리쳤을 때 아버지는 그것을 붙잡았다. 그 다음 순간 그는 공중에 매달리게 되었다. 다른 일꾼들이 소리치며 고함지르는 동안에 필사적으로 매달려 있었다. 아버지가 무사히 내려오게 됐을 때 아버지는 이미 한 가지를 마음에 결정했다. 그는 상관에게 2주 동안의 여유를 주면서 새 일꾼을 구할 것을 요청했다. 그리고 순회 성경 교사로 있는 할아버지를 찾아서 사역에 다시 합류했다. 죽음을 그렇게 가까이 경험했던 것을 잊을 수가 없었다. 그에게 두 번째의 기회가 주어졌고 이번에는 '지금' 하나님의 음성에 순종하기로 결심했다.
   나중에 그 일을 좀더 좋아하게 될 그 순간까지 기다리지 않고.

2
가족으로부터
이어받은 유산

    나의 아버지 톰 커닝햄이 네모난 얼굴에 물결치는 듯한 검은 머리를 한 채 할아버지의 집회에서 기타를 치면서 찬양을 부를 때면 많은 소녀들이 관심을 보였다.

    그러나 예외가 있었다.

    어느날 아버지와 할아버지가 오클라호마의 작은 도시에서 집회를 하고 있을 때 또 다른 순회 전도자 가족도 그 곳에서 집회를 열고 있었다. 니콜슨 가족의 간증은 다채로웠다. 성미 급하고 재치 있는 아버지 루퍼스 니콜슨은 오클라호마에서 소작을 하던 중 40세 때 예수님의 부르심에 순종하여 가끔씩 하던 심한 술 파티를 청산하고 지붕이 있는 짐마차에서 온 가족이 생활하면서 복음을 전하기 시작했다. 니콜슨 가족의 다섯 아이들 중의 셋째인 주웰이 12살이던 어느 늦은 여름날 오후에 시냇가 뚝 위에서 기도하고 있었다. 그녀는 갑자기 하나님께서 아주 분명한 음성으로 그녀에게 말씀하시는 것을 들었다. 하나님께서 말씀하시는 것이 그녀에게는 하나도 놀라운 사실이 아니었다. 그들의 집회에서는 가끔씩 사람들이 이같은 경험에 대해 간증하곤 했다. 하나님께서는 그녀에게 "나는 네가 복음을 전파하기 원한다."고 말씀하셨다. 주웰이 17살이 되었을 때, 그녀는 니콜슨 일가의 또 한 사람의 설교자가 되었다.

    어느 날 톰 커닝햄이 주웰 니콜슨을 만났을 때 그는 날씬하고 검은 눈을 깜박거리며 무뚝뚝한 말씨를 지닌 이 소녀에게 매혹되었다. 그는 그녀의 관심을 끌려고 노력했다. 그러나 주웰은 그녀의 부르심에 최선을 다하여 몰두하고 있었기 때문에 그에게 별다른 관심을 보이지 않았다. 주웰은 그가 몇 달을 노력한 후에야 그에게 관심을 보이기 시작했다. 톰은 그녀에게 청혼을 했고 그들은 알칸사스의 엘빈에서 조촐하게 결혼식을 올렸다. 톰은 결혼 특별 허가서를 위해서 3달러를 빌려야만 했다.

신혼 부부인 부모님은 이 도시, 저 도시를 여행하면서 거리에서나, 사람들이 '브러쉬 나무 그늘'이라고 부르는 3개의 나뭇가지로 덮여진 간이 정자 밑에서 복음을 전했다.

그 당시는 넉넉지 못한 시절이어서 그들의 재산이라곤 8살짜리 쉐리라는 개와 몇 개의 악기, 옷 몇 벌 그리고 그들의 성경책뿐이었다. 이것만으로 그들은 하나님의 일을 온전하게 그리고 효과적으로 해낼 수 있을 것으로 기대했다.

물론 그것은 하나님의 음성을 분명히 들어야만 가능한 것이다. 부모님은 인도하심을 받는 것에 대해 많은 이야기를 나누셨다. 그들은 때로는 분명한 소리로, 때로는 마음에 확실하게 다가오는 인상으로 들을 수 있는 내적인 음성에 친숙했다. 또한 그들은 말씀을 통해서나 꿈과 환상을 통해 말씀하시는 하나님의 음성을 듣는 데도 익숙했다. 아버지는 항상 인도하심을 받으려고 하는 가장 중요한 목적은 사람들에게 예수님에 대해 전하기 위한 것이라고 말씀하셨다. 아버지와 어머니가 함께 하나님의 인도하심을 구하실 때면 아버지는 언제든지 "우리는 예수님의 긴급 명령을 이루는 종이야."라고 말씀하시곤 했다. 예수님의 지상 명령, 그것이 열쇠이다. "온 천하에 다니며 만민에게 복음을 전파하라." 하나님께서 우리 각자에게 모든 곳에 가서 복된 소식을 사람들에게 전하라고 하셨다면 그는 분명히 우리가 가야 할 곳도 친히 인도하실 것이다.

나의 부모님은 하나님께서 그들을 보내시는 것이라는 확신만 있으면 어디든지 갔다. 그들은 복음을 전하면서 눈보라도 만났고, 얼음처럼 차가운 비를 맞기도 했으며, 자동차 뒷좌석에서 산 적도 있었다. 그들은 교인들이 주는 것이나 전도할 때에 사람들이 그들의 발앞에 던져 주는 동전 등으로 생활을 꾸려 나갔다. 그러나 그들이 그동안 계속 하나님의 음성을 듣고 그것에 순종하는 법을 배운 것에 비한다면 이러한 생활은 조그만 결과에 불과했다. 하나님께서 인도하시는 대로 따라가는 이런 모험심으로 그들은 오늘날까지 존재하는 3개의 교회를 설립하게 되었다.

이러는 동안 부모님에게 가족이 생겼다. 나의 누이 필리스가 1933년에 태어났다. 그리고 2년 후에 캘리포니아의 타프드에서 내가 태어났다. 나의 어린 시절의 기억은 먼지 많고 사막 같은 아리조나의 한 도시에서 사방 10피트 크기의 텐트 속에서 상자들을 가구로 삼고 살던 기억들이다. 그러나 한번도 불우하다고 느낀 적이 없었다. 오히려 자부심을 가지고 자랐다.

나의 부모님은 60명의 교인을 위하여 교회를 짓고 있었는데 흙벽돌을 손수 만들어 교회의 벽을 세우는 데 사용했다. 부모님은 그들이 하고 있는 일과 하나님의 음성에 귀를 기울이는 것을 배우는 과정에 우리도 함께 동참하도록 하셨다. 내가 6살 때의 어느날 저녁집회 후에 하나님께서 내게 말씀하셨다는 확신을 가졌고, 처음으로 내가 그 분께 속했다는 것을 알게 되었다. 그렇지만 내게 더욱 의미있었던 것은 날마다 일어나는 일 가운데서 하나님의 음성을 듣는 것이었다. 내가 9살 되던 해에 우리는 로스앤젤레스에서 동쪽으로 35마일 떨어진 곳에 있는 귤나무가 가득한 조그만 마을, 캘리포니아의 코비나에서 살고 있었다.

거의 저녁 먹을 시간이 다 된 때였는데 나는 집안으로 뛰어들어갔고 문은 내 뒤에서 쾅 소리를 내며 닫혔다. 11살인 누이 필리스는 재빨리 손가락을 입에 갖다 대며 갓난 여자 동생 제니스가 옆방에서 자고 있다는 것을 기억나게 해주었다. 나는 어머니가 오븐에서 옥수수 빵을 꺼내고 있는 부엌으로 가서 난로 위에 놓여 있는 커다란 냄비 뚜껑을 열고, 붉은 콩과 소금에 절인 돼지고기의 맛있는 냄새를 맡고 있었다.

"로렌, 우유가 떨어졌구나, 과부 아줌마 가게에 가서 우유 좀 사오겠니?" 어머니에게는 잔돈이 없었고 5달러짜리 지폐뿐이었다. "이돈은 한 주일 동안 쓸 식료품 값이니까 조심해서 다녀오너라."

나는 바지 주머니에 지폐를 집어넣고 휘파람으로 갈색 강아지 테디를 불러서 함께 과부 아줌마 가게로 갔다. 그 가게는 조금 먼 곳에 있었다. 나는 길을 가면서 발로 깡통을 차고 있었다. 그리고는 병 뚜껑을 자세히 보기 위해 한두 번 멈춰 서기도 하고 또 나뭇가지들을 주워서 이웃집 담 밑에 떨어뜨리기도 하였다.

나는 과부 아줌마네 가게의 계단을 뛰어 올라갔다. 그 가게는 거실을 개조해서 식품점으로 꾸몄다. 나는 우유 두 병을 골라 계산대에 앉아 있는 아줌마 앞으로 갔다. 그러나 돈을 꺼내려고 주머니에 손을 넣었을 때 나는 심장이 멎는 것 같았다. 돈이 없었다. 바지 안쪽 주머니와 뒷주머니, 웃도리 주머니까지 샅샅이 뒤졌지만 찾을 수가 없었다.

"돈을 잃어버렸어요." 나는 거의 울음 섞인 목소리로 말했다. 우유병을 거기에 두고 왔던 길로 다시 되돌아 갔다. 내가 멈췄다고 기억되는 곳으로 가 미친 듯이 찾았다. 소용없었다. 아무 데도 돈은 없었다. 이제 집으로 돌아가서 돈을 잃어버렸다고 어머니에게 솔직히 말할 수밖에 없었다.

나는 뒷문으로 들어가서 여느때보다도 조용히 문을 닫았다. 어머니는 아직도 부엌에 계셨다. 어머니는 즉시로 무엇인가 잘못되었다는 것을 눈치 채셨다. 돈을 잃어버렸다는 것을 말씀드렸을 때 어머니의 얼굴은 어두워졌다. 그것은 우리에게 그만큼 큰 손실이었다. 그렇지만 금세 어머니의 표정이 밝아지셨다.

"얘야, 이리와서 기도하자. 그 돈이 어디에 있는지 하나님께서 보여주시도록 기도하자."

어머니는 선 채로 손을 내밀어 내 가냘픈 어깨에 얹고 하나님께 이렇게 기도했다. "주님, 주님께서는 그 5달러가 정확히 어디에 숨겨 있는지 아십니다. 이제 우리가 기도합니다. 어디에 있는지 가르쳐 주세요. 우리의 생각 속에 말씀해 주세요. 그 돈으로 우리 가족이 먹고 살아야 하는 것을 주님께서 아십니다."

어머니는 눈을 감은 채 기다렸다. 끓고 있는 콩냄비 뚜껑이 딸그락 거리는 소리가 들렸다.

갑자기 어머니는 내 어깨를 꽉 쥐면서 "로렌, 그 돈은 수풀 아래에 있다고 방금 하나님께서 말씀하셨다." 어머니가 조금 낮은 목소리로 말씀하셨다. 어머니는 즉시 문을 열고 밖으로 뛰어 나가셨고 나도 그 뒤를 따라서 뛰었다. 날은 점점 어두워졌다. 나는 아까 왔던 길을 찬찬히 밟아가면서 수풀과 울타리를 뒤졌다. 어머니가 상록수들이 있는 곳을 향해 길바닥을 내려다 보면서 멈춰 서 있을 때는 너무 어두워서 거의 볼 수가 없었다. "저 나무 밑을 살펴보자." 어머니는 그 나무들이 있는 곳을 똑바로 쳐다보면서 흥분해서 소리 쳤다. 우리는 그 나무 밑으로 가 샅샅이 뒤졌다. 그런데 그루터기 나무 바닥에 5달러짜리 지폐가 있었다.

그날 저녁 콩과 옥수수 빵과 함께 큰 잔으로 우유를 가득 마시면서, 어머니와 나는 하나님께서 어떻게 그날 우리를 돌보아 주셨는지 필리스와 아버지, 그리고 우리의 갓난 동생에게도 간증했다. 당시에는 우리 가족 안에서의 이러한 경험들이 하나님을 의지하는 것을 배우는 학교 같은 구실을 하는 것이라고는 생각지 못했지만 지금 생각하면 그것들은 바로 그런 학교였다.

잃어버린 식품비를 하나님의 음성을 듣고 찾는 경험을 한 지 석달 후인 2월의 어느 아침, 우리 형제들은 우리 생활에 계속적으로 적용되는 또 다른 원칙을 배웠다. 우리가 아침 식사 식탁에 둘러앉았을 때 아버지는 며칠 동안 집을 떠나 있어야겠다고 말씀하셨다. 내가 10살이 된 이래로 아버지는 나에게 아버지가 집에 안계실 때에는 내가 집을 돌봐야 한다고 말씀해 오셨다. "나는 미조리의 스프링필드에 있을 거야. 대륙 중부에 있어서 멀긴 하지만 전화가 있으니까 아주 연락이 끊기는 건 아닐게다."

우리가 슬픈 소식을 듣게 된 것은 전화를 통해서였다. 아버지는 맹장염에 걸리셨는데 그 곳에 있는 사람들은 수술해 줄 수 없는 형편이었다. 그래서 그것은 복막염으로 이미 번졌을 가능성이 있었고 전쟁 기간이라 페니실린도 없는 상황이므로 아버지가 돌아가시는 것은 시간 문제라는 것이었다.

어머니는 전화기를 내려놓으시고 우리가 기도해야 한다고 하셨다. 간절히! 나는 소파 뒤로 기어가서 몇 시간 동안 거기서 기도했다. 이틀이 지난 후에도 아버지의 상태는 여전했다. 우리가 계속해서 붙잡을 수 있는 하나님께로부터 오는 어떤 말씀이 필요했다. 그런데 내가 결코 잊을 수 없는 사건이 생겼다.

아버지가 병에 걸리셨다는 소식을 들은 지 3일 후에 누군가 우리 집 문을 두드렸다. 약간 쌀쌀했으나 맑은 2월의 아침이었다. 나는 어머니가 현관 문을 여는 것을 지켜보았다. 현관 문 밖에는 교회에서 온 어떤 남자가 서 있었다. 그는, 내가 전에 한 번 본 적이 있는 장례식을 집행하는 어떤 사람을 연상시켜 주는 사람이었다. 일그러진 표정 그리고 수심에 찬 눈동자로 그는 여느 때보다도 진지한 표정으로 서 있었다. 그는 그의 벨벳 모자를 손으로 만지작거리면서 무엇인가 말해야 할 것을 말하기가 두려운 것처럼 하면서 서 있었다.

"무슨 일인가요?" 어머니는 침착한 어조로 재촉하듯이 물었다.

"커닝햄 자매님" 그 기분 나쁜 남자는 드디어 입을 열었다. "제 꿈에 하나님께서 당신의 남편이 관에 실려 집에 오는 것을 보여 주셨습니다."

나는 말문이 막혀 입이 딱 벌어졌다. 나는 어머니의 얼굴을 살폈다. 어머니는 잠시 생각하더니 이렇게 말했다.

"감사합니다. 선생님." 어머니의 목소리는 부드러웠지만 아주 단호했다.

"여기까지 오셔서 이렇게 일러주시니 정말 감사합니다. 얼마나 어려운 걸음이었는지도 이해하구요. 그렇지만 저는 하나님께 여쭤보고 그 꿈이 하나님께로부터 온 것인지 알아보겠어요. 이것은 아주 중요한 문제니까 하나님께서 직접 제게 말씀하시지 않겠어요?"

이것은 질문이라기보다는 어머니의 의사를 단호히 표현하는 것이었다. 그리고는 그 신사에게 다시 한번 감사의 뜻을 전한 후에 현관문을 닫으셨다. 그리고는 기도하기 시작하셨다. "하나님, 정말 당신이십니까? 만약 그 꿈이 당신께로부터 온 것이라면 그대로 받아들이겠습니다. 단지 그것만 알려주세요. 그게 제가 알고 싶은 전부입니다."

어머니는 하나님께 깊은 신뢰감을 가지고 계셨다. 그래서 어머니는 하나님 아버지께서 그렇게 중요한 문제에 아버지다운 부드러운 방법으로 그녀에게 대답해 주실 것을 추호의 의심도 없이 기대했다. 그녀는 모든 것을 하나님께 맡기고 잠자리에 들었다.

다음날 아침, 김이 모락모락 나는 오트밀을 아침 식사로 먹기 위해 식탁에 둘러앉았을 때 어머니는 제니를 아기 의자에 앉히고 좋은 소식을 알려 주시겠다고 했다. "어젯밤에 꿈을 꾸었는데." 어머니는 나와 필리스에게 말씀하셨다.

우리는 갑자기 조용해졌다. "그런데 내 꿈에서 아버지는 기차를 타고 그리고 잠옷 차림으로 집에 오셨단다."

그리고 정확하게 그 일이 일어났다. 우리는 아버지가 캘리포니아로 돌아오셔도 될 만큼 회복되셨다는 소식을 들었다. 전쟁 중이어서 군관계 수송이 우선이었기 때문에 여행 예약을 하기가 무척 어려웠으나 친구를 통해 침대차를 얻어 탈 수 있었다. 그래서 아버지는 어머니의 꿈대로 침대차를 타고 잠옷 차림으로 도착했다. 기차역에서 아버지는 잠옷 위에 바지를 더 입으셨다. 우리는 침실용 실내화를 끌고 약간 떨고 있는 아버지를 부축하면서 플렛폼을 내려왔는데 다른 사람들에게는 볼 만한 구경거리였을 것이다. 부축하고 내려오는 우리 식구들을 사람들이 한 번씩 쳐다보았지만 아무도 상관하지 않았다. 이제는 아버지가 집에 돌아오신 것이다.

후에 어머니는 하나님의 인도하심을 구하는 데 있어서 중요한 면을 지적하셨다. "다른 사람을 위해 하나님의 인도하심을 받는다는 것은 위험한 일이야. 우리는 다른 사람을 통해 하나님의 인도하심을 확인할 수는 있지만 만약 하나님께서 무엇인가 중요한 것을 말씀하신다면 우리에게 직접 하실 거야."

가족으로부터 이러한 유산을 이어받은 나 역시 "온 천하에 다니며 복음을 전파하라"는 부르심을 받았다는 것이 하나도 놀라운 일이 아니었다. 사실 그 부르심을 받고 일하는 동안 내가 하나님의 인도하심에 대해 알고 있었던 지극히 작은 지식까지도 모두 활용되었다.

3
우리의 인생을
바꿔놓은 어린소녀

하나님께서 우리를 인도하셨던 것을 뒤돌아 볼 때 하나님의 유머러스한 면을 볼 수가 있다. 예를 들면 그렇게 딱딱하고 형편없는 어느 10대 소년의 설교가 그후 오랫동안 내 생활의 주제가 될 줄은 꿈에도 몰랐다. 그 어색한 설교의 장본인은 바로 나였다.

내가 13살이 됐을 때 우리는 서부 로스앤젤레스에 있는 우리의 새 집에서 외가와 다시 합하기 위해 알칸사스 스프링데일로 갔다.

아버지는 겨우 며칠 동안 우리와 함께 있었지만 어머니는 계속 우리와 함께 계셨다. 아버지와 어머니 두 분 다 하나님의 성회에서 목사 안수를 받으셨는데 삼촌은 그분의 교회의 청년들을 위해 어머니에게 부흥회를 인도해 달라고 부탁하였다(외가는 한 분을 제외하곤 모두 설교자였다).

어느날 저녁 어머니의 설교가 끝난 후에 나는 삼촌 교회의 강대상이 있는 곳의 나무 난간에 기대어 무릎을 꿇고 있었다. 갑자기 나는 나의 몸이 하늘 어디엔가에 있는 느낌을 가졌다. 내 눈 앞에는 굵은 글씨로 이렇게 써 있었다. **"온 천하에 다니며 만민에게 복음을 전파하라"** 마가복음 16장 15절의 지상 명령 ! 내가 눈을 떠 보았는데도 여전히 그 말씀이 내 눈 앞에 있었다. 나는 눈을 다시 감았다. 그런데도 불타오르는 것 같은 그 말씀은 여전히 거기 있었다.

내가 복음을 전하도록 부르심을 받고 있다는 데 대해서는 조금의 의심도 없었다. 아마도 해외 선교사로 부르셨던 것 같다. 왜냐하면 내 앞에 써 있던 그 말씀은 "온 천하에 다니며"라고 되어 있었기 때문이다.

나는 일어나 제단가에 둘러앉아서 주님을 찬양하고 있는 사람들을 지나서 어머니를 찾았다. 나는 어머니 곁에 무릎을 꿇고 앉아서 내게 일어났던 일을 조그만 목소리로 어머니에게 속삭였다. 어머니는 나를 보며 싱긋이 웃고는 내 어깨를 감싸안았다. 어머니는 그날 밤에는 많은 말을 하지 않았지만 다음날 그 문제에 관해 어떻게 느끼셨는지 말씀해 주셨다.

"애야, 나와 함께 가자." 어머니는 늘 그랬던 대로 직선적으로 말씀하셨다. 우리는 스프링데일의 중심가로 가서 신발 가게로 들어갔다. "여기 이 아이가 당신의 가게에서 제일 좋은 구두를 보고 싶어 합니다." 어머니가 주인에게 말했을 때 나는 놀라서 어머니를 바라보았다. 내 신은 아직 신을 만했다. 신을 산 후 나는 학교 갈 때나 교회갈 때 외에는 결코 그 신을 신지 않았었다. 어머니는 내 눈을 들여다보며 미소를 지었다. "이것은 우리가 축하하는 거야, 로렌! '좋은 소식을 들고 산을 넘는 자의 발이 얼마나 아름다운가' 하는 성경 말씀에 우리가 얼마나 동감하는지 아빠와 내가 네게 보여주고 싶은 조그만 표시란다."

나의 가족은 내가 보았던 복음 전파의 사명을 듣고 몹시 기뻐했다. "네가 만약 복음을 전하는 사람이 된다면 지금처럼 너를 시험해 보기 좋은 시기가 없다." 어머니의 말에 삼촌도 동의했다. 그래서 그들은 다음 주 목요일 저녁 설교를 어머니 대신 내가 하기로 결정했다. 꼭 일주일 후였다.

설교단 위에 서서 태양에 그을리고 주름진 얼굴의 알칸사스 농부 아저씨들에게 복음을 전할 것을 생각할 때 최선을 다해야겠다는 생각이 내 마음을 가득 채웠다. 그날 저녁부터 설교를 위하여 기도하

기 시작했다. 여러 날 동안 적합한 성경 구절을 택할 수 있도록 도와
주시기를 기도했다. 하나의 주제가 떠올랐다. '광야에서 그리스도가
받으셨던 시험에 대한 설교' 그 주제는 내 개인 생활에 있어서 인도
하심을 받는 데 아주 중요한 역할을 한 것이었다

어른들 앞에서 내가 '시험을 받는 것'에 대해 설교한다는 것은 약
간 건방져 보이는 것 같았다. 내가 아는 시험의 한도는 겨우 13살짜
리가 겪을 수 있는 유혹들뿐이었는데 그것들은 극히 개인적인 것이
었다. 사실 생각해 보면 모든 유혹이라는 것이 그럴 것이다. 물론 나
도 10대 소년들이 갖는 정상적인 성적 흥분을 느꼈다. 그러나 절제
할 수 없는 정도는 아니었다. 때때로 길모퉁이에서 담배를 피우라고
유혹해 오는 친구들도 있었지만 내가 보기엔 아주 어리석은 일처럼
여겨졌고 내가 거절하면 그들도 금방 포기했다.

처음으로 하는 설교를 앞두고 기도하는 한 주간 동안 하나님께로
부터 오지 않는 '다른 음성들' 즉, 내 또래의 소년들에게 뒤지지 않
으려는 충동 같은 것이 나를 유혹해 오는 것을 알 수 있었다. 그것은
그들을 따르려는 것뿐만 아니라 그들을 뛰어넘으려는 것이었다.
남보다 탁월하려고 노력하는 데는 하나도 그릇된 것이 없다. 그러나
그 안간힘으로 인해 우리가 잘못 된다면 그것은 유혹인 것이다.

뿐만 아니라 어울려 잘 따라가려는 노력은 내가 평상시에는 잘 하
지 않는 일을 하도록 나를 유혹했다. 예를 들면 차들이 나와 내 친구
들 곁을 바싹 붙어 윙윙 소리내며 지나가는데 우리들은 자전거를 타
고 6차선의 넓은 올림픽 거리의 중앙선을 달리는 일 같은 것이었다.
우리들은 위험을 무릅쓰고 이런 일을 했다. 그리고 그들과 어울리기
위해서는 내 연한 갈색 머리는 옆 가리마를 타서 이마를 적당히 살
짝 덮어 내려와야 하고, 뒷머리는 머리 기름을 잔뜩 발라야만 했다.
내 바지는 끝부분을 몇번 접어야 하고 내 개버딘 셔츠는 팔 부분이
정확히 한 번 접혀 올려져 있어야 했다. 그리고 멋진 구두를 신어야

만 친구들에게 존경을 받을 수 있었다. 나는 이 모든 것을 신문 배달해서 번 돈으로 사야 했다. 그러나 하나님께서는 이 모든 것들에 관해 무엇이라고 말씀하실까? 하나님께서 복잡한 대로의 중앙선을 자전거를 타고 지나간다거나 머리 기름을 바르는 것과 멋진 구두에 대해 관심이 있으실까? 이제 내게 주어진 사역을 시작하려고 할 때 친구들을 기쁘게 하려는 이런 노력들이 내게 문제가 된다면 하나님께서도 틀림없이 그에 관해 관심이 있으실 것이다.

나는 이런 경험에 비추어서 유혹에 관한 설교를 했다. 나의 설교가 10분밖에 안걸렸기 때문에 어머니는 나머지 시간을 메꾸기 위해 얼른 무엇인가 생각해내야 했다. 그 인내심이 많은 농부 아저씨들은 친절하게도 나의 설교에 대해 칭찬해 주었다. 그렇지만 그들이 그날 밤에 집에 돌아가서는 내가 좀 과장해서 말한 데 대해 서로 고백하는 시간을 갖지 않았을까 하는 생각이 든다. 중요한 것은 앞으로 정말 문제거리가 될 만한 것을 경험을 통해서 알아냈다는 것이다. 소속감을 가진다는 것은 내게 어떤 의미가 있는 것일까? 나에 대해 사람들이 어떻게 생각하느냐를 내가 얼마나 중요하게 여겼었는가! 특히 그 사람들이 내가 존경하는 이들일 경우에는 더욱 그랬다. 이 유혹의 목소리는 언젠가는 실제로 일어날 가능성이 있는 것들이었다.

어느 날 우리 모두는 우리 인생을 바꿔놓은, 볕에 그을려 피부가 거무스름한 소녀에 관해서 듣게 되었다.

솔직히 말해서 그날 아침 교회에서 그다지 설교를 주의 깊게 듣고 있지 않았다. 그날은 마침 나의 15번째로 맞게 될 생일 전날이었다. 나는 서부 로스앤젤레스에 있는 우리 교회 본당 극장식 나무 의자에 앉아서 아버지의 설교를 듣고 있었다. 하지만 나는 다른 생각을 하고 있었다. 어떤 중고차 추첨에 관해서였다. 여러 달 동안 신문배달 해서 번 돈을 치를 시기 위해 저축하고 있었다. 네가 사고 싶은 차는

39년형 '쉐비'였다. 나는 다른 사람들이 다 하는 식으로 황색을 전부 벗겨내고 금속 빛이 도는 푸른 색으로 그것을 칠하고 차의 뒷부분을 더 낮출 작정이었다.

갑자기, 나는 아버지가 말씀하시는 설교의 어떤 부분에 정신을 집중하게 되었다. 아버지는 한 아랍 어린이에 대해 말씀하고 계셨다. 아버지는 첫번째 해외 선교 여행에서 며칠전에 돌아오셨다. 남성 성경반에서 아버지에게 성지를 돌고 오시도록 해주었다. 그러나 나를 다른 생각으로부터 정신을 번쩍 들게 한 것은 아버지의 목소리 때문이었다. 그의 평상시의 큰 베이스 목소리가 아주 작게 들렸고 거의 갈라지는 목소리였다.

"아랍 소녀는 누더기를 걸치고 더러운 손을 내밀며 아랍어로 구걸하는 한 거지에 불과했지만, 나는 평생 그 아이의 얼굴을 결코 잊을 수가 없을 것 같습니다."

아버지는 그의 앞에 있는 목제 강대상을 내려다 보았다. 아버지는 목소리를 가다듬고 계속해서 말씀하셨다.

그 아이는 팔레스틴 난민촌 밖으로 나와 아버지에게 다가와 구걸했는데 초라한 누더기를 걸치고, 머리에는 기름이 배어 있었고 자기보다 어린 여자 아이를 허리에다 걸쳐 안고 있었다.

"우리를 안내하는 이들은 우리가 그들에게 동냥해 주는 것이 더 거지 노릇을 하도록 하는 것이니까 주지 말라고 말렸지만 그래도 나는 그 어린 소녀를 그냥 지나칠 수 없었습니다. 나는 주머니에서 동전 몇 개를 꺼내어 그 아이에게 쥐어 주었습니다."

아버지가 설교를 멈추시자 나는 아버지가 울고 계시는 것이라고 생각했다. 교회는 쥐죽은 듯 조용해졌다. 아버지는 그날 밤 그의 호텔 방에서 침대 곁에 무릎을 꿇었었다고 하시면서 계속 말씀을 이어나가셨다. 갑자기 태양볕에 얼굴이 그을린 더러운 팔레스틴 아이가 아버지의 앞에 떠올랐다. 그는 눈을 감았다. 그러나 그 소녀는 여전히 거기 있었고 그 소녀는 다시 손을 내밀어 구걸하기 시작했다. 아버지가 구걸하는 그 아이의 눈을 들여다 보고 있을 때에 그 아이는 동전 이상의 더 깊은 것을 요구하는 것처럼 보였다고 했다. 그 아이는 위로, 격려, 사랑, 미래에 대한 희망 같은 것을 요구하고 있었다. 그것은 복음이었다.

아버지가 그 말씀을 하시는 동안 나는 비싼 내 구두를 내려다보고 있었다. 우리 모두는 눈물을 흘렸다. 아버지는 그날 밤 그 소녀의 얼굴을 떨쳐버릴 수가 없어서 밤새 잠을 못이루셨다. "여러분께 할말이 있습니다." 아버지는 똑바로 자세를 가다듬으면서 말씀하셨다. "그날 밤부터 나는 변화되기 시작했어요. 나는 생의 나머지를 해외에 있는 우리 형제, 자매들이 얼마나 도움을 필요로 하고 있는지를 사람들에게 알리는 데 쓰고 싶습니다. 그리고 그들을 도와주는 데 동참하고 싶습니다."

"그동안 세계 선교라는 말이 단순히 몇 마디의 단어로만 여겨졌지만 이제는 달라졌습니다. 이제부터 선교는 그 아랍 아이의 얼굴 같이 구체적인 것입니다."

15살이 된 나는 새로운 흥분으로 가슴이 벅찼다. 변화된 사람은 아버지 혼자가 아니었다. 1년 전에 알칸사스 삼촌의 교회에서 내 앞에 씌어 있던 그 구절이 갑자기 내 생각 속에 떠올랐다. "온 천하에 다니며…."

아! 지금 당장 내가 할 수 있는 무엇이 있을 것이다.

나는 차에 대해 더이상 생각하지 않기로 했다.

아버지는 교회에서 우선적으로 해야 할 일에 대한 그 순서를 바꾸어서 더욱 많은 헌금을 해외 사역을 위해 작정했다. 놀랍게도 교인들이 주머니를 털 정도로 헌금을 하니까 지역 사역을 위한 돈도 해결되어 나갔다. 교회에는 평소보다 30%가 넘는 많은 헌금이 들어오고 있었다.

아버지는 놀랍게 일을 진행시켜 나갔다. 아버지는 우리 모두가 어느 한 아프리카 선교사에 대해 상당한 관심을 가질 때까지 선교사가 당하는 어려움이나 그의 생활에 대해 우리에게 거듭 이야기했다.

그리고 어느 주일, 아버지는 교회 바로 앞에다 새 짚차를 갖다 놓으셨다. 만약 우리가 그 짚차를 살 돈을 모으게 되면 그 차를 선교사에게 보낼 수 있게 되는 것이었다.

마침내 나는 내가 하고 싶었던 그 일을 찾아냈다. 나는 두 달 동안 신문 배달을 해서 번 40달러를 그 사업을 위해 헌금하기로 했다. 나는 내가 꼭 사고 싶었던 '쉐비'를 사지 않고 지구 반대편에 있는 사람을 도울 차량을 사는 것을 돕기로 한 것이다.

후에 나는 아직도 내 차를 살 수 있을지도 모른다고 생각했다. 나는 아버지를 설득해서 신문배달 외에 또 다른 두 가지 일들을 갖도록 허락받았다.

사실 아버지가 내게 말씀해 주신 대로 큰 자부심을 갖고 말할 만한 것인데, 그해 여름에 처음으로 내 차를 사기에 충분한 돈을 저금할 수 있었다. 그 차는 내가 원하던 바로 그 형이었다. 39년형 '쉐비' 그 중고차는 11년이나 된 것이었고 뒷문은 둘 다 부서졌고 겨우 움직일 수 있을 그런 정도였다. 나는 크롬을 다 벗겨내고 친구의 도움을 받아 금속 빛이 도는 푸른색으로 페인트 칠을 했다.

그렇지만 세미한 무엇인가가 내 마음을 요동시키고 있었다. 조용하면서도 계속되는 내적인 음성은 내 인생이 자동차나 친구들과 어울리는 것보다는 더 큰 것이 되어야 한다고 말하고 있었다. 부활절 방학을 이용해 10명의 친구들과 다녀온 멕시코 여행은 그것을 더욱 확인시켜 주었다. 나와 대부분의 친구들은 18살이었다. 우리는 다른 문화권의 사람과 만나 이야기하는 것이 어떤 것인지 잘 몰랐지만 고등학교에서 배운 스페인어를 써 가면서 이 세상에서 들을 수 있는 가장 중요한 메시지를 그들에게 전하려고 노력했다. 놀랍게도 약 20명 가량의 멕시코인들이 이 복음을 받아들였고, 그들은 예수님을 더 알기를 원했다. 어떤 이들은 자리 한가운데서 무릎을 꿇고 기도했다. 그러나 우리의 여행은 나와 두 친구가 이질에 걸려 병원에 입원하게 되는 바람에 약간 아쉽게 끝났다. 그러나 나는 이 여행을 통해 하나님께서 나를 어디로 인도하시는지 그 방향을 잡은 것 같았다.

무엇인가 내가 확실히 이해할 수 없는 것이 내 안에서 싹트고 있었다.

내가 미주리의 스프링필드에 있는 '하나님의 성회' 신학대학에 가기로 결정한 것도 이 멕시코의 영향 때문이었을 것이다.

내가 19살이 되던 1954년 가을에 누나 필리스와 나는 나의 좀더 좋은 '1984년형 도지' 차에 우리 짐을 실었다(누나는 센트럴 성경학교에 가기로 결정했다).

아버지와 어머니 그리고 10살난 제니는 승마용 신발을 신고 서부 로스앤젤레스 집앞 보도에서 우리가 짐 싣기를 끝내기를 기다리며 서 있었다. 아버지께서 우리가 영육간에 안전하도록 기도해 주시는 동안 우리 다섯 식구는 동그랗게 모여 완전히 하나가 되었다. 우리가 차를 몰고 모퉁이를 돌아서 갈 때에는 입술을 깨물어야 할 만큼 가슴이 뭉클했다.

그래서 내 차가 150마일이나 떨어진 스프링필드를 향해서 가려고 올림픽 거리로 막 들어섰을 때, 나는 일생을 걸려서 하게 될 어떤 모험의 세계로 막 들어선 것이었다.

4

물결치는 파도

바하마 여행은 단순한 것이었지만 하나님의 인도하심에 대한 그 곳에서의 독특한 체험이 내 인생을 결정하게 되었다.

미주리 주에서 학교에 다니는 동안 나와 세 명의 친구들은 복음송을 부르는 4중창단을 만들었다. 우리는 방학을 이용해서 가까운 스프링필드 지역을 벗어나 좀더 먼 곳으로 여행하곤 했었는데, 한번은 바하마 섬의 수도인 나사우(Naasau)를 택했다.

1956년 6월에 맥키 항공을 타고 마이애미에서 나사우까지 짧은 여행을 했다. 우리가 탄 프로펠러 가동식 비행기 아래로 전에 한 번도 본 적이 없는 진귀한 색조를 띤 일련의 섬들이 큰 물결 무늬를 이루며 바다 가운데 떠 있었다.

우리를 맞으러 나온 그곳의 선교사와 함께 공항을 나오는데 나는 18살 때 다른 10여 명의 친구들과 함께 멕시코에 갔던 이래로 거의 느껴보지 못한 흥분이 되살아나는 것을 느꼈다(그것이 벌써 2년 전의 일이라는 것이 믿어지지 않았다). 내가 이렇게 흥분이 되는 이유는 그 섬의 독특한 색깔이나 꽃들, 열대 지방에 어울리는 그들 특유의 유니폼과 헬멧을 쓴 교통 순경 때문만은 아니었다. 흥분은 나의 내부로부터 일어나는 어떤 힘이었다.

찬양 공연 중간 중간에 우리는 바하마에서 사역하고 있는 선교사들과 이야기를 했다. 그들은 그곳의 한 섬에서 일어났던 불미스런 사건에 대해 말해 주었다. 세 명의 십대 청소년들이 선교사역을 위해 자기들끼리만 와서는 바하마 섬에서 데이트 한다는 것이 미국처럼 당연하고 평범한 일이 결코 아니란 것도 알지 못하고 그 섬 소녀들과 데이트를 하곤 했다. 그래서 이제 그 섬에는 온갖 좋지 못한 소문이 퍼져 있었다.

나는 착잡한 심정으로 그 이야기를 듣고 있었다. 그 십대 청소년들이 지혜롭지 못하게 행동한 것에 대하여 미안한 마음이 들었다. 그러나 마음 한 구석에는 '젊은이들이 선교를 하러 여기에 온다는 것!' 그들의 착상은 기가 막히다는 생각이 들었다.

그날 밤 우리의 찬양 프로그램이 끝난 후 값싼 나무틀로 된 섬 그림이 박혀 있는 액자 외에는 아무 장식이 없이 흰 벽으로만 되어 있는 선교사 사택의 손님 방으로 돌아왔다. 나는 베개를 두 겹으로 접어서 머리에 베고 누워 성경을 펼쳤다. 그리고 늘 하던 대로 하나님께서 내 마음에 말씀해 주시도록 기도했다.

그러나 그 다음에 일어난 일은 늘 일어나는 그런 것이 아니었다. 갑자기 나는 세계 지도를 바라보고 있었다. 그런데 그 지도는 살아 있는 것처럼 움직였다! 나는 일어나 앉았다. 나는 머리를 흔들고 눈을 비비면서 다시 보았다. 그것은 마음으로 보는 영화 같은 것이었다. 모든 대륙을 한눈에 볼 수 있었다. 파도가 해변에서 대륙으로 들어왔다가 밀려 나가고 그리고 더 깊이 밀려 들어와서 그 대륙을 완전히 덮는 것이었다.

나는 숨을 죽였다. 내가 그 장면을 지켜보는 동안 또 다른 장면으로 바뀌었다. 그 파도들은 내 나이 정도의 젊은 사람들이나 혹은 나보다 어린 사람들로 변하여 그 대륙들을 덮고 있었다. 그들은 거리에서나 음식점, 혹은 집집마다 찾아가서 복음을 전하고 있었다. 마치 하나님 아버지가 돈 한푼을 구걸하는 어린 아랍 소녀를 돌보는 것 같이 곳곳에서 사람들을 놀보는 것이었다.

그리고 그 장면은 사라졌다.

와! 나는 생각했다. '그것이 무엇일까?'

나는 젊은 사람들이 파도처럼 밀어닥치는 것을 보았던 벽을 다시 바라 보았다. 그렇지만 내가 볼 수 있는 것은 값싼 나무틀 안에 있는 액자 외에는 아무 장식도 없는 흰 벽뿐이었다. 내가 어떤 환상을 본 것일까, 아니면 하나님께서 미래에 일어날 일들에 관해 보여주신 것일까?

"주님! 이 환상이 정말 당신께로부터 온 것입니까?" 나는 감탄하면서 여전히 벽을 뚫어지게 바라보았다. 놀라운 일이었다. 어린 청소년들이 선교사로 나아간다! 얼마나 멋진 생각일까! 나는 그 섬으로 선교 사역을 하러 나왔던 세 청소년들에 관해 생각해 보았다. 그리고 그들이 흔히 미국 청년들이 하는 식으로 행함으로 끼친 좋지 못한 영향에 대해서도 생각했다. 이 환상이 정말 하나님께로부터 온 것이라면 이러한 문제들을 피하는 길이 있을 것이고, 그리고 젊은이들의 힘을 사용할 무슨 길이 있을 것이다.

나는 '왜 하나님께서 내게 이 환상을 보여주셨을까? 나의 미래는 어떠한 형태로든지 이 젊은이들로 된 파도와 무슨 연관이 있게 되는 것일까' 하는 생각을 했다. 오랫동안 나는 허공을 바라보면서 누워 있었다.

한 가지 확실한 것은 아무에게도 이 환상에 대해 이야기하지 말아야 한다는 것이었다. 먼저 그 환상이 무엇을 의미하는지 나 스스로 이해하기 전까지는.

이런 양상이 따르는 것 같았다. 하나님께서 어떤 확실한 부르심을 우리에게 주시면 그것에 대한 시험의 기간이 있다는 것이다. 하나님께서는 돈 한푼을 구걸하는 소녀를 통해 그런 이들의 필요를 채워주는 것은 복음이라는 것을 보여주셨다. 그때의 문제는 값비싼 부츠를 신고 39년형 '쉐비' 차를 굴리며 친구들과 어울릴 것인지, 아니면 주님의 부르심에 순종하든지 하는 것이었다. 그 파도에 관한 이상한 비전을 본 후 이틀 지나서 이제 나는 더 큰 시험의 단계에 들어갔다. 그 당시에는 괴로운 시험들이 나중에는 좋은 결과로 나타난다는 것은 얼마나 역설적인가 ! 그 중의 한 가지 사건은 내가 우리 가족들의 과거와 연결되었다는 것이다.

우리는 다음 일정을 위해 마이애미에 도착해서 모텔에서 묵게 되었는데 친구들은 밖에 나가 식사하기를 원했다. "로렌, 우리는 나가서 식사하고 싶은데 같이 갈래?" "아니 나는 안먹겠어."

나는 다른 생각이 있었다. 이곳은 마이애미였고, 한끼의 식사보다 더욱 중요한 깨어진 가족의 관계가 바로 이곳에 있었다. 나는 아버지가 전도자가 되기로 결심한 후로부터 27년간 관계를 끊었던 아르네트 고모가 여기에 살고 있다는 것을 알았다. 다른 친척들의 말로는 아르네트 고모는 돈을 잘 벌어서 가구 공장을 소유하게 되었고, 곳곳에 소매 가구 상점도 몇 개 갖고 있다고 했다. 막내 고모 산드라의 거처는 아무도 모르는 듯했다. 아르네트 고모의 마음에는 아직까지 원망하는 마음이 있었다. 3년 전 할아버지가 돌아가셨을 때 아버지가 간신히 연락이 닿아서 오라고 했을 때 고모는 "장례식이 엎어지면 코닿을 곳에 있다고 해도 가지 않겠어요."라며 단번에 거절하고 참석하지 않았었다.

내가 갑자기 전화하면 고모는 어떤 반응을 보이실지 궁금했다. 나만 남게 되자 옆에 있는 서랍을 열어 전화 번호부 책을 꺼냈다. 흥분으로 몸이 떨렸다. 거기 있었다. 전화번호부에 똑같은 이름이. 아르네트 커닝햄. 그 사람이 바로 아르네트 고모일까 ! 나는 천천히 다이얼을 돌렸다.

"여보세요?"

그녀의 목소리다! 나는 한번도 그 목소리를 들어본 적이 없지만,

그 목소리는 어딘가 친숙한 데가 있었다. 그녀의 목소리에는 커닝햄 일가다운 데가 있었다. "여보세요, 저 로렌 커닝햄인데요, 토머스 세실 커닝햄이 저의 아버지예요. 제가 혹시 조카가 되지 않는지요. 제가 만나뵐 수 있을까요?" 침묵이 흘렀다. 잠시 후 "아니오, 나는 너무 바빠요!" 하고 전화가 끊겼다.

이튿날은 토요일이었다. 내 친구들은 수영하러 갔지만 나는 그렇게 바다를 좋아함에도 불구하고 또 다시 집에 남기로 한 내 자신에게 놀랐다. 모텔방에 혼자 남아서, 침대에 누워 전화기를 바라보았다. 나는 어제 고모와 나눈 대화를 잊을 수가 없었다. 그 대화는 내 가족에 대한 여러 가지 기억을 새롭게 했다.

나는 침대 머리에 기대어, 조그만 모텔방을 뚫어지게 바라보고 있었다. 그 동안 우리가 고모에게 보낸 편지는 뜯지도 않은 채로 되돌아 왔었고, 전화를 걸면 늘 통화도 못한 채 거절당하곤 했었다. 그러나 서먹서먹하면서도 어딘가 친숙한 그 목소리는 나로 하여금 다시 한번 전화를 걸고 싶은 마음을 불러일으켰다. 나는 수화기를 집어들었다.

"여보세요, 저 로렌인데요, 자꾸 전화해서 죄송하지만 내일이면 저는 이 곳을 떠나는데요, 제가 만나뵐 수 있을까요?"

"미안하지만 오늘 우리 직원들이 나를 위해서 생일 파티를 열기로 해서 만날 수 없겠어요."

아르네트 고모는 다시 전화를 끊어버렸다. 그러나 약간의 발전은 있는 셈이다. 적어도 고모가 나를 만날 수 없는 이유를 내게 말해주었으니 말이다. 그러자 나에게 좋은 생각이 떠올랐고, 곧 쇼핑하기 위해 모텔을 나섰다.

전혀 알지도 못하는 부인의 생일 선물을 살 때 도대체 무엇을 사야 하나! 나는 어머니가 늘 좋아하시던 것과 같은 것으로 레이스가 많이 달린 린넨 손수건을 사기로 했다. 그리고 너무 감상적이지 않은 것으로 "생일 축하해요, 고모"라고 씌어진 카드를 조심스럽게 골랐다.

주일 오정쯤 우리는 떠날 준비가 끝났다. 나는 비스케인(Biscayne) 가에서 공중전화로 고모에게 전화를 걸고, 우리가 이곳을 떠나기 전 몇 분 동안이라도 고모를 만나뵐 수 있는지 물어보았다. 이번에는 아르네트 고모가 나를 만나줄 것을 허락했는데 아마도 순전히 호기심에서였던 것 같았다.

우리는 야자나무 거리를 지나 열대지방의 풍경 속에 아늑하게 자리잡은 집들이 있는 곳으로 갔다. 앞문이 스크린 문으로 장식된 호화로운 큰 집 앞에 차를 세웠다. 아르네트 고모가 아버지에게 냉소하면서 "종교를 구실 삼아 자선금으로 살아가는 떠돌이"라고 한 말이 생각났다. 나는 급히 백미러에 머리를 비춰보고, 넥타이를 고쳐 매었다.

친구들은 차에서 기다리게 하고, 혼자 차에서 내릴 때 나는 어느 부인이 현관 덧문 안에서 나를 바라보고 있는 것을 보았다. 나는 차분하게 계단을 걸어 올라갔다.

곧 나는 아버지와 꼭 닮은 부인 앞에 마주 서 있었다. 고모의 머리는 고급천으로 둘러 잘 매만져 있었고 손가락에는 다이아몬드들이 반짝이고 있었지만, 뭔지 모르게 우리는 한 핏줄이라는 느낌이 들었다.

"안녕하세요, 저는 톰의 아들이에요."

아르네트 고모는 내 모습을 뜯어 보듯이 천천히 나를 훑어보았다. 그 계단에 서 있는 동안 고모와 나는 둘 다 오랫동안 말이 없었다.

"생일 선물 가지고 왔어요." 마침내 내가 말문을 열었다. 그리고 손수건이 사이에 끼어져 있는 카드를 건네드렸다.

아르네트 고모는 카드를 받아들고서 "넌 아버지를 많이 닮았구나." 하시며 부드럽게 이같이 말씀하셨다. "갈색 머리와 눈도 똑같고

웃는 모습까지 꼭 닮았어. 그런데 키는 네가 좀 더 크지?" 심장의 고동이 멈추는 것 같은 순간이었다. 고모는 몸을 약간 흔드시며 웃으시다가 갑자기 눈에 눈물이 가득 고였다. "정말 오랜만이구나…."

고모는 나에게 어서 안으로 들어오라고 하시면서 밖에서 기다리는 친구들도 데려오라고 했다. 그렇지만 우리는 열 몇 분간의 여유밖에 없었기 때문에 괜찮다고 하며 안으로 들어갔다. 나의 부모님에 대한 고모의 짧은 질문들에 답하고, 나도 목회자가 되기 위해 준비하고 있고, 미주리에 있는 학교에 다니면서 여름방학을 이용해 찬양 그룹으로 여행하고 있다는 것을 설명해 드렸다. 우리가 바하마에서 오는 길이라는 것도 말씀드렸다. 고모는 우리에게 북부로는 어디까지 여행하게 되느냐고 물으셨다. 내가 대답하자 그녀는 나를 찬찬히 바라보면서 잠잠히 있었다. 그리고 그녀는 조심스럽게 "고모가 또한 분 계시단다, 로렌. 산드라 고모에 비하면 난 가난뱅이지." 그것은 나에게 특별한 언질을 주는 말이라는 생각이 들었다. 우리가 산드라 고모의 여름 별장 가까운 곳까지 여행할 것을 안 아르네트 고모는 산드라 고모에게 연락해 보라고 권하셨다.

나는 시계를 보았다. 이제 떠나야 할 시간이었다. 우리와 악수를 하며 고모는 나에게 어떻게 하면 연락이 되느냐고 물었다. 나는 고모에게 우리의 여행 일정표를 한 장 드렸다.

며칠 후에 아르네트 고모는 우리가 여행하고 있는 곳으로 전화를 해서 나와 산드라 고모가 만날 수 있도록 약속을 다 해놓았다고 말씀하셨다. 산드라 고모는 우리가 가야 할 순복음 교회로 차를 보내서 그녀의 여름 별장이 있는 뉴욕의 레이크 필래시드(Lake placid)로 나를 초대했다. 산드라 고모와 조지 고모부는 내가 결코 경험해본 일이 없는 매혹적인 세계에서 살고 있었다. 그렇지만 무엇보다도 나에게 가장 큰 감명을 준 것은 산드라 고모 자신이었다. 늘 웃는 듯한 회색 눈과 짧고 곱슬거리는 갈색 머리를 가진 고모는 쉰 살이라는 나이가 믿어지지 않았다. 고모는 아주 친절했고 나를 편안하게 해주었다. 고모는 내 누나 필리스를 연상시켰다. 산드라 고모는 마치 오랫동안 잃어버렸던 아들을 다시 만난 것 같이 나를 대해 주었다. 키가 크고 서글서글한 뉴잉글랜드 사람인 조지 고모부도 나를 따뜻하게 대해 주었다.

그들의 환대는 내가 센트럴 성경학교 졸업반이 될 때까지도 계속되었다. 부모님과 나는 어떻게 내 등록금을 마련할 것인가 걱정하고 있었다. 그런데 산드라 고모와 고모부는 내가 학교를 계속 다닐 생각이라면 교육에 필요한 비용을 다 대주시겠다는 편지를 보내왔다.

그 다음해에 아버지와 아르네트 고모, 산드라 고모는 다시 만나서 화해 하셨다. 정말 행복한 재회였다. 나는 혼자서 빙그레 웃었다. 그러나 그 재회가 나에게 주요한 시험의 단계가 되리라고는 꿈에도 생각지 못했다.

5
조촐한 시작

"애야, 정말 너는 급성장을 하고 있구나 !" 내가 옷장에서 웃도리를 찾고 있을 때 어머니께서 이렇게 말씀하셨다. 나는 스물 네 살이었고, 대학을 마치고 캘리포니아로 돌아온 지 3년이 되었다. 몬테레리 공원이 인디 편에 살고 있는 가족들에게로 돌아와서 함께 있게 되어 편했다.

"네." 나는 건성으로 대답했다. 어머니가 하신 말씀이 칭찬이라는 확신은 없었지만 나를 지켜보고 계셨다는 것이 기뻤다.

"그렇지만 애야, 모든 것을 주님께 올려드려야 한다. 네가 교만해지면 하나님께서 너를 쓰실 수 없단다."

어머니가 방을 나가신 후, 나는 창가로 다가가서 창밖에 있는 선인장들을 바라보았다. 여러 가지 생각들이 머리를 스치고 지나갔다. 학교 졸업반이었을 때 학생회 회장이었고 졸업생 대표였고 하나님의 성회 목사로서 안수도 받았다. 또 로스앤젤레스 지부의 청년부 지도자라는 좋은 직업을 갖고 지금까지 일하고 있다. 이 모든 것들에 대해 기뻐하고 있긴 했지만 그래도 교만이라니… 어머니는 정곡을 잘 찌르시긴 하지만 이번만은 잘못 보신 게 아닌가 싶었다. 그러나 어머니의 말씀이 무슨 뜻이었는지를 몇 년이 지나서야 깨달았다.

지금 당장은 내 마음이 편치 않다는 것에 훨씬 더 신경이 쓰였다. 도대체 무엇이 잘못된 것일까? 나는 나의 일을 즐거워하고 있었고 젊은이들도 모두 여전히 똑똑하고 열심이 있었다. 그러나 지금 와서 보면 나는 내가 젊은이들을 위해 세운 활동계획들의 대부분이 껍데기뿐이었다는 것을 인정할 수밖에 없었다. 거기엔 도전이 없었기 때문에 젊은이들의 마음을 놓친 것이다. 우리 모두가, 특히 10대와 20대 초반의 젊은이들이 갈망하고 있는 것은 바로 큰 도전이었다.

나는 바하마 섬에서 보았던 그 신기한 환상을 다시 기억했다. 그 후로 벌써 4년이 지났다. 그 비전과 내가 했던 작은 일들을 비교해 보면 비참할 정도였다. 무엇인가 해야 할 때이다.

며칠이 지난 후에 나는 10대 청년들을 데리고 하와이로 선교여행을 떠나려는 생각으로 지방 책임자를 찾아갔다. 그 계획이 인정이 되어 우리는 하와이로 가게 되었다. 106명의 젊은이들과 함께! 그러나 본래의 선교여행 목적과는 달리 그들의 반은 해변에서 즐기기를 원했고 나머지 반만 나가서 사람들에게 그들의 믿음을 전하고 싶어했다. '두 가지 다른 동기를 가지고 선교여행을 할 수는 없다. 로렌.' 나는 나 자신에게 힘주어 말했다.

나는 이러한 경험 등을 통해 머릿속에 몇 가지 사항을 주지시켰다. 첫째로, 바하마 섬에서의 젊은이들의 실수를 볼 때(그 지방 소녀들과 데이트함으로 물의를 일으켰던 일) 일단 선교사역 도중에 데이트하는 것은 지장을 가져온다고 결론짓고 둘째로, 하와이 여행을 통해서는, 한마음으로 무장되어야 할 전도 목적의 여행과 관광여행이 혼동되어서는 안된다는 것을 배우게 되었다.

나는 왜 이런 사항들을 목록을 만들어 기억하려는 것일까? 그리고 왜 바하마 섬에서 보았던 그 파도가 밀려오는 환상을 자꾸 돌이켜 보는 것일까? 그 특이한 기억은 그냥 사라져 버리지 않았다. 그것은 내 생활의 일상적인 활동에도 영향을 미치는 것 같았다.

나는 그 경험이 무엇을 의미하는지 하나님이 그것을 통해 내가 무엇을 하기 원하시는지 알아보아야만 했다. 아마도 가장 좋은 방법은

나 혼자 얼마 동안 여행하면서 해외에 어떠한 가능성들이 있는지 알아보는 것일 것이다. 여행사에서는 세계일주 비행기표를 아주 싸게 구입해 주었다. 비행기표 값을 위해 나는 차를 팔고, 청년부 지도자로서의 직책을 그만 두고 고통 가운데 있는 세계를 돌아보기 위해 출발했다. 나는 이것이 관광여행이 아니란 것을 알았다. 새롭게 경험할 일들을 기대하고 즐거워하면서도 아직까지 내가 보지 못했던 어떤 것으로 인도함을 받고 있다는 것에 대한 이상할 정도의 확신이 들었다.

내가 여행 중에 받은 가장 큰 충격은 어느 곳에 가든지 사람들은 꼭같다는 것이다. 우리는 다만 우리를 분리시키는 '조직'이라는 울타리로 싸여 있을 뿐이다. 인도에서는 수백만이 나오는 전혀 다른 신앙을 갖고 있다는 사실을 어느 외따로 떨어진 마을에서 일어났던 일을 통해 피부로 느낄 수 있었다.

어둡고 무척 더운 밤이었다. 내가 묵고 있는 호텔로 돌아가다가 군중 속에서 나는 섬찟한 통곡 소리를 들었다. 그래서 무슨 일인지 알아보기 위해 군중을 헤집고 들어갔을 때 장작더미가 쌓여 있는 것을 보았다. 횃불을 들고 있던 남자가 나무에다 불을 붙였다. 타오르는 불길들 사이로 나는 장작더미 위에 가는 다리들과 아직도 어린 것 같은 소년의 형체를 보았다. 영어를 할 줄 아는 어느 사람이 말하기를 "16살짜리 소년이 칼 싸움 하다 죽임을 당해서 장례를 치르는 것"이라고 했다. 애곡하는 소리가 하늘을 찔렀고 나는 그 불빛 앞에서 사람들과 같이 서 있었다. 이 소년이 벌써 공중으로 재가 되어 사라져 버렸다는 느낌이 나를 눌렀다. 무겁고 답답한 절망감이, 구역질 나고 살이 타는 지독한 냄새와 섞여 공중에 서려 있었다.

나는 장작더미 주위에 서 있던 사람들 속에 있었던 그 무기력함과 절망감을 결코 잊을 수 없었다. 나는 가슴을 헤집고 올라오는 간절한 소원을 가지고 그곳에 남아 있었다. 나는 아직 거기에 살아 있는 사람들에게 이렇게 외치고 싶었다. "소망이 있습니다. 그분의 이름은 예수입니다.

그 여행 중에 또 다른 일이 나에게 일어났다. 그것은 훨씬 더 개인적인 일이었다. 나는 철저히 혼자이고 불완전하다는 것을 절감하기 시작했다. 스프링필드의 대학 시절에 많은 여학생들과 데이트 했고, 남캘리포니아 대학에서 석사 과정을 밟을 때도 그랬었다. 그러나 그러한 교제 가운데서도 어떤 친구와는 꽤 심각한 관계였는데도 더 이상은 진전되지 않았다.

그런데 이제 갑자기, 나는 삶의 필수적인 한 부분을 놓치고 있다고 느꼈다. 왜 내가 이 곳에 혼자서 이 모든 일을 하려고 나와 있을까? 내가 그 웅장한 타지마할을 방문했을 때는 더 강하게 이런 느낌을 가졌다. 내가 화려하게 장식된 열쇠구멍처럼 생긴 아치문을 지날 때는 나는 너무 도취해서 숨이 막힐 지경이었다. 거대한 직사각형의 못에는 뜨거운 인도의 태양이 하얗게 반짝이며 완전히 반사되었고 또 설화석고로 만든 기념비가 서 있었다. 이 모든 것이 한 여인의 사랑을 얻기 위한 남자에 의해 지어진 것이다.

나는 아치로 된 길을 걸으면서 참으로 혼자라는 것을 느꼈다. 나는 누군가에게 '정말 아름답지?' 라고 말하고 싶었지만 곁에는 아무도 없었다. '나는 이렇게 혼자 여기서 무엇을 하고 있는 것일까?' 나는 태양빛의 반사로 반짝거리는 못가를 거닐면서 나의 외로운 모습을 비춰보고 다시 생각했다. 그리고 내가 어디 가든지 구걸하는 거지들의 손을 생각해 보았다. 꼭 아버지가 하셨던 것처럼 나는 내 주머니를 털어서 가능한 한 많은 아이들에게 동전을 쥐어주었다. 그렇지만 언제든지 동전을 받지 못한 빈손들이 있게 마련이다. 마음을 억누를 수 없었다. 어떻든간에 나는 나의 동반자에게 이렇게 말하고 싶었다. '틀림없이 이 사람들을 도와 줄 길이 있을 거야. 그들의 마음 속의 요구의 물질적인 필요를 채울 수 있는 길이 있을 거야.'

그런데 젊은이들이 선교사로서 파도처럼 밀려나가는 나의 비전을 이해해 줄 만한 여자를 어디에서 찾을 수 있을까? 누가 이곳 저곳을 나와 함께 돌아다니며 이 비전이 주님께로부터 온 것인지 알아보려고 할 것인가? 그녀는 분명 자기 자신의 '부르심'(어머니가 언제나 표현하시는 것처럼)을 가진 사람이어야 한다. 그리고 어머니를 생각해 보았다. 모두가 아주 개성있고, 생기있고, 강한 우리 가족과 어울릴 만큼 대담한 사람이 누구일까? 특별히 어머니를 생각하며 나는 혼자 빙그레 웃었다.

마침내 나는 가족들이 있는 캘리포니아로 돌아왔다. 나는 (다시 혼자라는 생각을 하고) 내가 경험했던 것들에 대해 나누면서 국내 여행을 했다. 나는 청년들에게 극히 원시적이고 전혀 깨끗하거나 편리하지도 않지만 무엇인가 중요한 일을 할 수 있는 기회가 많은 세상도 있다는 것에 대해 말해주는 데 중점을 두었다. 그렇지만 실제로 '무엇을' 그들이 할 수 있는가를 이야기할 차례가 되면 나는 좀 막연해졌다. 그것은 아직도 내게 무엇인가 확실하게 잡히지 않았기 때문이었다.

여행에서 돌아온 지 한 달 후에 캘리포니아 베이커스필드의 한 교회에서 말씀을 전할 기회가 있었는데 그 교회 청년인 달라스와 래리를 만나게 되었다. 21살인 달라스 무어는 약간 네모진 턱과 반짝이는 푸른 눈, 갈색 상고 머리의 럭비 선수 같은 체구를 가졌고, 그의 친구인 래리 핸드릭스도 역시 21살이었다. 그들은 나를 '스탠 음식점'으로 데리고 갔다. 내가 나중에 안 일이지만 그들 둘 다 중장비 운전사들이고, 불도저도 밀고 땅파는 기계나 크레인도 다룰 줄 아는 사람들이었다.

그러나 우리가 스탠의 음식점으로 차를 몰고 갈 때는 중장비에 대해 이야기하지 않았다. 우리의 화제는 자동차에 관한 것이었다. 달라스가 갖고 있는 자동차는 1956년도 푸른색과 흰색의 'Bel Aire Chevolet'(자동차형의 이름)였다. 차는 손가락 자국 하나 없이 깨끗했고 하얀 의자 커버가 잘 씌워져 있었다. 나는 나의 39년형 시보레 차를 기억해내고 10년 전 그 당시에는 그 차가 얼마나 중요한 것처럼 느껴졌던가 생각했다.

그렇지만 무엇인가 잘못되었다는 느낌을 가졌다. 그들이 투원캠이나 이중 매니폴드나 삼중의 카브레이터에 관해 얘기하고 있을 때, 나는 그들의 대화에서 동떨어져 있었다. 우리는 스탠 음식점에 들어갔고, 여점원이 물을 갖다 주고 갔다. 나는 내 물잔을 들고 쳐다봤다. 물은 차갑고 깨끗했다. 박테리아가 있을지도 모른다는 생각을 할 필요가 없었다. 다른 자리들을 둘러보았다. 햄버거나 튀긴 감자를 열심히 먹고 있는 사람들로 가득차 있었다. 달라스와 래리는 내가 갑자기 조용해진 것을 눈치채지 못했다. 밖에는 많은 거지 아이들이 손을 내밀고 구걸하고 있는데, 이곳에서 웃으면서 즐거운 시간을 보내고 있는 이 모든 사람들이, 하나 하나 고립되어 있는 커다란 동그라미 속에 들어 있는 사람들 같았다.

그것은 너무 엄청난 차이였다. 갑자기 나는 대화의 방향을 바꾸었다. 나는 달라스와 래리에게 나의 여행에 관해 이야기하기 시작했다. 모든 것을 다 얘기했다. 거지들, 화장(火葬)용 장작더미 위에서 타고 있던 16살짜리 소년, 그 절망감과 통곡, 내가 래리와 달라스를 바라보았을 때 그들의 눈이 반짝였다. 그들은 나를 통해 그 모든 것을 보고 있었다.

"그런데 정말 가슴 벅찬 일은 그런 상황을 너희가 변화시킬 수 있다는 거야."라고 나는 말했다.

그들은 내 말에 동의했다. 그러나 곧 이전의 그 피할 수 없는 질문을 했다. "로렌, 우리는 돕고 싶은데 어떻게 해야 하죠? 우리는 선교사가 아니에요. 우리는 불도저를 미는 사람들이에요."

그렇다. '어떻게' 도와주는가가 문제였다.

달라스와 래리와 애기한 지 한 달쯤 후에 나는 친구들과 함께 태평양 연안 고속도로를 달려 LA로 가고 있었다. 함께 가는 친구는 보브와 로레인 탓이었다. 보브는 키가 크고 어딘지 모르게 아직도 소년 티가 남아 있는 40세의 사업가였다. 그와 까만 눈을 가진 그의 쾌활한 아내는 내가 잉글우드(Inglewood)에 있을 때 일했던 교회의 교인들이었다.

하이웨이를 내려갈 때, 바로 옆의 해변가에 파도가 밀려와 부서지고 있었다. 나는 내 문제에 대해 생각하기 시작했다.

어디에서나 달라스와 래리 같이 준비된 청년들을 만났다. 그들은 무엇인가 중요한 일을 하기를 갈망했다. 어느 청년은 카드에 이렇게 적어 보냈다. "나는 예수님을 위해 죽을 각오가 되어 있습니다." 나는 그 카드를 손에 쥐고 있다가 갑자기 내가 실수를 저지르고 있다는 것을 알았다. 나는 젊은이들에게 그들의 삶을 그리스도에게 바치라고 권유해 왔지만 현재로서는 우선 수년 동안의 학교과정을 마쳐야 했고, 그렇게 되면 학교를 마칠 때쯤이면 그들의 불타는 열의는 식어버리고 말 것이다. 나도 대학 교육까지 마치고 남캘리포니아 대학에서 석사 과정을 위해 공부했었다. 그러나 나에게는 강한 동기가 있었기 때문에 그 모든 교육을 마치기까지의 나의 '부르심'을 잃지 않고 지낼 수 있었다.

젊은이들을 위해 어떠한 실제적인 길을 마련해 놓지 않고는 더 이상 그들에게 도전을 줄 수는 없는 노릇이었다.

나는 창문 밖으로 파도가 밀려오는 것을 내다보면서 그 비전을 기억했다. 무엇인가 해야 할 때인데, 도대체 그것이 무엇일까?

"로렌, 마음이 수만리쯤 멀리 떨어져 있는 사람 같아요." 앞자리에서 로레인이 싱긋이 웃으면서 말했다.

"적어도 수천리쯤은 가 있어요." 나는 계속해서 "나는 그 동안 젊은이들에 대해서 생각하고 있었어요. 어떻게 그들이 정말 가치있는 일을 할 수 있을까…."라고 말하며 보브와 로레인에게 내가 세계를 여행하면서 보았던 절박하게 도움을 필요로 하는 상태와 젊은이들이 젊은 시절의 힘을 낭비하고 있는 것에 대해 말해 주었다. 그 말을 하는 동안 내 머리 속에 정리해 두었던 것들이 다 밖으로 나오는 것을 보았다. 우리는 젊은이들을 모집해서 즉시 사역지로 보내야 한다. 고등학교를 졸업하고 바로 나가도록 해서 그들이 후에 대학을 가더라도 새롭고 좀더 진지한 목적을 갖도록 해야 한다. 우리는 몇 개월이나 혹은 1년이라는 짧은 기간 동안의 선교를 위해 그들을 보낸다. 보내진 모든 사람들은 관광을 위해 온 것이 아니라 일하러 왔다는 것을 알 것이다. 그리고 각자가 필요한 경비를 부담한다(아무도 자비없이 세계를 여행하지 않으니까 말이다). 한 가지 더 내 마음에 떠오르는 것이 있었다. 아주 새롭고 확실성이 있는 것이었다. 어떠한 선교 사역을 하든지 한 교파에 제한을 두지 않고 모든 교회에서 자원 봉사자들이 나와 일할 수 있도록 개방해 놓는 것이다. 나는 나의 사고가 구체적이고 분명해진 것에 대해 놀랐다.

  그러자 보브가 나에게로 약간 몸을 돌리더니 조용하게 말했다. "그렇게 합시다!" 나는 그 순간에 이미 무엇인가가 시작되었다는 것을 알았다. 보브는 "당신이 해보세요."라고 하지 않고 "우리 그렇게 합시다."라고 말한 것이다.

  때때로 하나님은 바하마 섬에서 본 파도의 비전 같이 극적으로 우리에게 말씀하시기도 하지만 그러나 지금처럼 "같이 해 봅시다."라고 세 마디로 말씀하실 수도 있다고 생각했다. 우리는 그 선교단체의 이름을 Youth With A Mission(청년선교단)으로 정하고 1960년 12월에 일을 시작했다. 이제 자원자들과 면담할 장소가 필요했기 때문에 나는 우리 가족이 사는 집의 내 침실을 사무실로 만들었다.

"로렌, 소파용 침대를 구해보도록 할게요. 그러면 책상을 놓을 자리가 좀 생길 거예요." 로레인이 제안했다.

얼마 후에 보브와 나는 사무실로 변한 내 침실로 갈색 소파용 침대를 들여 놓았다. 그리고 차고에는 타자기와 중고 등사기를 설치해 놓고 첫번째 광고 팸플릿을 찍어내기 시작했다. 우리는 그것들을 우리가 만든 목록에 있는 교회의 목사들에게 보내어 젊은이들이 그 팸플릿을 받아보도록 할 예정이었다.

나는 아버지와 어머니 그리고 고등학생인 제니에게 지금 막 찍어낸 180개의 팸플릿을 접고, 주소를 적고, 우표를 붙이는 일을 도와 달라고 부탁했다. 누이 필리스는 이런 자질구레한 일에서 제외되었다. 그녀는 해군 대위 레오나르드 그리스월드와 결혼하여 따로 살림을 하고 있었다. 그들은 둘 다 L.A.에 있는 학교에서 교사로 있었고, 1월에는 필리스의 첫 아기가 태어날 예정이었다.

"오빠, 내가 일한 보수는 왜 받지 못하는 거지?" 제니가 물었다.

"하늘에서 그 상을 받게 될 거야"라고 나는 웃으며 대답했다. 나는 우리가 접고 있는 그 광고 팸플릿에 내가 제시한 조건들을 생각해 보았다. 보수 받지 않는 사역-더군다나 가는 데 필요한 경비를 자비로 부담해야 한다. 관광도 아니고 데이트도 하지 못하는 거친 전도의 생활이다.

내가 조심스럽게 우리 지역 우체국장 앞에 여러 뭉치의 팸플릿을 내려놓았을 때 나는 모든 사람으로부터 받을 반응을 상상해 보았다. "왜 우리가 진작 이 생각을 해내지 못한 것일까? 너무나 멋진 아이디어다."라고 말할 것 같았다.

금방 답장이 밀어닥쳤다. 그러나 그것이 내가 기대하던 바는 아니었다. 물론 그 젊은이들은 매우 흥분한 것 같았다. 벌써부터 우리는 가능성이 있는 자원자들에게서 답장을 받고 있었다. 그러나 어떤 지도자들은 별로 이 일에 흥미 있어 하지 않는다는 것을 아버지께서 내게 귀띔해 주셨다. 아버지께서는 우리 교단의 지방사무관(특히 선교에 관한 특별한 직책)으로 선출되셨기 때문에 더 이상 목회는 하지 않고 계셨었다. 나는 스프링필드에 가서 선교를 담당한 사람들과 이야기해 보기로 결정했다.

그들은 풋나기인 나를 정중히 대해 주었지만 나의 계획의 모든 문제점들을 지적해 내었다. 그들은 경험이 없는 젊은이들이란 해외에서는 위험스런 존재가 될 가능성도 있다고 말했다. 민족주의와 정치적인 불온함이 상승되고 있는 이때에 각 교파는 경험 있는 선교사들이라도 추방당하는 것을 막기 위해 급급해 있다고 했다. 그리고 또 문화가 다른 데서 오는 문제도 있었다. 또 실제적인 위험과 질병도 따른다고 했다. 마지막으로 그들은 말하기를 진짜 선교사들이 하려고 하는 가치 있는 일을 스릴이나 찾는 젊은이들이 오히려 복잡하게 만든다는 것이었다.

그들 중의 한 사람은 내가 풀이 죽어 있는 것을 본 게 틀림없었다. 그는 몸을 앞으로 구부리더니 대안을 제시했다.

"만약 당신이 직업적인 지원자들을 보내기만 한다면 그들을 올바로 감독해 줄 수 있는 정말 좋은 해외 선교 지부에 말해 주겠소." 그는 내게 자기 제안을 생각해 볼 여유를 준 후에 다시 "만약 당신이 그렇게 한다면 나는 쌍수를 들고 기꺼이 도와주겠소."라고 말했다.

'왜 그렇게 못하겠는가?' 나는 속으로 생각했다.

내가 캘리포니아로 돌아오자마자, 리베리아에서 중장비 운전자들이 나환자들이 사는 마을까지 정글을 가로질러 길을 닦는 기회가 있다는 소식을 들었다. 나는 즉시로 달라스와 래리를 생각했다. 나는 베인커스필드에 있는 달라스 무어에게 전화하여 그와 래리가 어떻게 우리 사역의 첫번째 자원자가 될 수 있는지 설명했다. 그가 경비에 대해 묻자 나는 모든 경비를 그들 자신이 책임져야 한다고 말했다. 달라스는 그의 부모님과 래리에게 말해 보겠다고 했다. 니는 츠크힌 며칠을 보냈다. 마침내 그가 전화를 했다. 그가 어떻게 그 문제를 그의 목사님과 부모님께 제시하여 그것에 관해 이야기를 나누었는지 그의 특유한 느린 스타일로 이야기했을 때 나는 거의 숨을 죽이며 듣고 있었다. 그들은 그렇게 하는 것이 하나님의 뜻이라고 생각했다는 것이다.

할렐루야! 나는 속으로 외쳤다. 이제 정말 시작이구나!

그리고 달라스는 한 마디를 덧붙였다. "로렌, 경비를 위해서 내 차를 팔기로 했어요."

로레인 탓지도 우리 모두와 마찬가지로 매일 보수 없이 계속 일하였다(나의 수입은 가끔 설교 후에 받는 사례금이었다). 그때쯤 우리는 Youth With A Mission을 줄여서 약칭으로 'Y-WAM(와이웸)'이라 불렀고 이곳에 자원하여 일하는 사람들을 'Y-WAM-er(와이웨머)'라 불렀다.

달라스와 래리가 리베리아의 나환자촌으로 떠날 준비가 끝나기 전에 몇 사람이 더 다른 선교 지역으로 떠날 준비를 진행시키고 있었다.

달라스와 래리가 그해 10월 리베리아로 떠날 때에 나는 또 새로운 선교 자원자들을 위해 나이지리아에서 그들이 할 수 있는 사역을 찾는 데 여념이 없었다. 아버지는 편지에 달라스와 래리를 파송할 때 좋은 시간을 가졌다고 써 보내오셨다. 아버지와 다른 몇 사람은 로스앤젤레스 공항에서 두 젊은이의 주위에 둘러서서 손을 그들에게 얹고 기도한 후 그들은 리베리아로 떠나는 707 TWA기에 탑승했다.

놀라운 일이었다! 나는 편지를 도로 접으면서 생각했다. 처음으로 두 명의 Y-WAMer가 그들의 사역에 들어섰다. 아직은 파도를 이루지 못했지만 시작은 했다. 나는 수천 명도 더 되는 사람들이 달라스와 래리 같이 나가게 될 것을 확신했다. 미국으로 돌아와서 나는 산드라 고모와 함께 하루를 보내기로 계획을 세웠다. 고모와 고모부가 방문해 달라고 요청해 왔기 때문이었다. 나에게 할 이야기가 있다는 것이다. 아주 좋은 직업에 대한 얘기인 줄 미리 짐작할 수 있었다. 나는 산드라 고모에게 전화해서 그리로 여행하는 중에 잠시 들르겠다고 했다. 그래서 조지 고모부와 산드라 고모의 그 안락한 세계에 다시 한번 초대받는 손님이 되었다.

나는 비단 홑이불 속에서 몸을 뒤척였다. 밖을 내다보니 벌써 해가 높이 솟아 있었다. 늦게까지 잠을 못이루다가 늦게 잠이 들어 깨어보니 늦은 아침이었다. 밝은 햇살이 격조 높은 방안을 온통 환하게 비추고 있었다. 틀림없이 오늘은 산드라 고모가 그 직업을 내게 제안할 것이고 나는 하나님께서 내게 주신 부르심이 있어서 다른 길을 택해야 한다고 말해야만 할 것이었다. 그것은 어려운 일이다. 문제는 내가 계속해서 부르심에 순종할 것인가 하는 문제였다. 나는 산드라 고모의 비단 이불 위에 수놓아져 있는 고모의 이름 첫글자들을 손가락으로 더듬었다. 물론, 나는 화려하고 좋은 것들을 즐기고 싶어한다. 내가 값비싼 부츠와 금속 빛깔의 푸른 페인트로 칠해진 쉐비차를 사려고 그렇게 열심히 신문배달을 하면서 일을 해본 이래로 나는 좋은 '물건'들을 감상하며 누리고 싶어하는 마음이 있었다. 산드라 고모의 캐딜락을 타기도 하고 때로는 직접 운전도 하면서 이런 좋은 분위기에 싸여 여기서 지낸다는 것은 기분좋은 일이었다.

시계를 들여다 보니 9시였다. 내가 벨을 눌러 호킨스를 부르자 그는 얼마 후에 아침 식사를 가지고 나타났다. 그 아침 식사 쟁반에는 내가 좋아하는 것들이 가득 있었다. -잘 익은 멜론, 와플(밀가루, 우유, 계란 등을 반죽하여 구운 것), 달걀, 베이컨, 큰 컵에 가득 채운 방금 짜온 오렌지 주스.

나는 급하게 먹고 아래층으로 내려갔다. 조지 고모부는 벌써 나가시고 없었고 테라스에는 고모 혼자 나를 기다리고 계셨다. 고모는 내 뺨에 쌀쌀맞게 키스했다. 게일은 내 다리 주위를 맴돌며 내 손을 핥곤 했다.

"잘 잤니, 로렌?"

"네." 나는 약간 건성으로 대답했다.

"조금 오래 잔 것 같아요." 우리는 잔디 위에 놓여 있는 의자에 가서 앉았다.

"로렌, 네가 우리 집에 들러주어서 정말 기쁘다. 나는…우리는 네가 조지 고모부와 함께 일하는 것에 관심있어 하는지 참 알고 싶구나."

결국 그 순간이 다가왔다! 내가 대답해야 할 그 질문, 내가 직면해야 할 그 순간이 드디어 온 것이다. 나는 정말 이 고모를 사랑하고 또 고모부가 관대하게 제의한 것에 대해 너무 잘 이해가 되었다. 그들이 내게 제시한 것은 수백만 달러도 넘는 그들의 가족 사업에 나도 한 부분이 되도록 초청해오는 것이었다. 말하자면 유산을 이어받는 자리였다. 아버지가 받았던 똑같은 유혹에 나도 직면했다는 것이 어떻게 생각하면 재미있는 일이었다. 수십 년 전에 산드라 고모와 아르네트 고모가 아버지를 계속 공부시키고 싶어서 도우려고 인정을 베풀었던 것처럼 이제 나는 그 다음 세대로서 그들 중의 한 고모로부터 똑같은 제의를 받고 있는 것이다. 내가 무엇이라고 대답해야 하는지 알지만 내가 그 고모를 사랑한다는 사실이 그것을 더욱 어렵게 했다.

"고모, 잠깐 걸을까요?" 나는 대답을 늦추면서 말했다.

게일은 팔짝 뛰면서 우리보다 앞질러 달려갔다. 우리는 고모네 집 뒤에 있는 워트 호수에 해안 둑을 향해 있는 넓은 잔디밭을 가로질러 거닐었다.

우리는 거기 함께 서서 넓은 바다를 바라보았다. 나는 깊이 숨을 들이 마셨다.

"산드라 고모, 고모가 제안한 것에 대해 감사하지 않아서가 아니고요."

"하지만, 싫다고 그럴 작정이지?"

나는 내가 13살 때 어떻게 전도에 대한 부르심을 받았는지를 어떻게든지 표현—설명한다는 것은 도저히 불가능하다고 생각했기 때문에—해보려고 애썼다. 또 20살 때 하나님께서 세계 각 대륙으로 복음을 들고 가는 파도와 같은 젊은이들에 대한 환상을 내게 보여 주신 것도 이야기하려고 했다. 그러나 어쩐지 환상에 대해 이야기할 때 내 목소리는 주제 넘게 들릴 뿐이었다.

"이젠 알겠다, 로렌." 말씀하시는 산드라 고모의 목소리는 부드러우면서도 약간 날카로웠다.

"하지만 그냥 미국에서만 그 일을 하면 안되니? 바로 여기에서도 수많은 사람이 도움을 필요로 한단다(내 안에 있는 목소리가 네가 마음대로 쓸 수 있는 수천 달러가 있다면 얼마나 많은 도움을 그들에게 줄 수 있겠느냐고 속삭였다).

내가 산드라 고모의 걱정과 염려스러워하시는 모습을 바라보았을 때는 칼로 내 속을 찌르는 것 같았다. 정말 고모를 실망시키고 싶지는 않았다. 그러나 나는 이 시험을 통과해야만 했다. 나는 간신히 목을 가다듬었다.

"안돼요, 산드라 고모, 안되겠어요. 하나님께서 내게 원하시는 것은 온 세상에 나가라는 것이에요. 저는 순종해야 해요."

산드라 고모는 돌아서서 내 손을 잡으며 "로렌, 우리 가족은 종교 때문에 벌써 얼마나 갈기갈기 찢겼는지 몰라. 다시는 그런 일이 일어나지 않도록 해보자, 네가 하는 일에 행운이 있기를 바란다. 이머니, 아버지에게 사랑을 전해다오. 조지 고모부에게는 내가 이야기하마. 내가 할 수 있는 한 최선을 다해서….”

끝났다. 나는 커다란 두 개의 문을 지나서 넓은 대리석 층계를 내려갔다. 호킨스가 내 뒤에서 문을 닫는 소리가 들렸다. 나는 돌아서서 서재 창문가에 서 있는 산드라 고모를 다시 한번 쳐다보았다.

나는 택시가 미한 가(家)의 저택을 떠나갈 때 앞으로 산드라 고모와 아르네트 고모와는 계속 친근하게 지내야겠지만 무슨 일이 있어도 나의 부르심에 진정으로 순종해야겠다고 결심했다. 공항을 향해 다리를 건널 때 나는 나의 다음 할 일과 파도에 관해 생각해 보았다. 파도! 이제 6명의 지원자가 있는데, 그들은 이미 사역지에 있든지 아니면 곧 나가려고 준비하고 있었다. 아직도 겨우 물방울 정도일 뿐 파도가 될 수는 없었다.

6
아내이자 친구인 동역자

유행에 뒤떨어진 옷차림을 한 그 처녀가 내게 그렇게 중요한 사람이 될 줄은 상상조차 하지 못했었다.

우리가 YWAM을 시작한 지도 2년이 되었다. 어느 날 나는 새로운 친구들 에드 스크래치와 그의 아내 에니드, 그리고 그들의 딸 달린과 함께 점심을 먹기 위해 샌프란시스코 만 근처를 차를 타고 갔다. 달린은 내가 보기에 20살 남짓해 보였고 금발이었다. 뒷 좌석에 앉은 달린은 거의 냉담하리만큼 조용했고 검정과 갈색의 체크 무늬가 있는 우중충한 옷을 입고 있었다. 내가 27살이 되도록 많은 아가씨를 만났지만, 이 아가씨는 특히 보수적인 것 같았다. 그런데 나는 나도 모르게 자꾸 그녀에게 눈길을 주고 있는 것을 발견했다. 그녀는 나를 쳐다보지도 않았고 자기의 부모님과 얘기를 시작하려 하지도 않았다. 어떤 긴장감 같은 것이 있는 듯했다. 그녀는 매우 아름답고 부드러운 머리를 하고 있었고 그 무미건조한 옷차림을 잘 소화해내는 형이었다.

"이 집에 아주 좋은 스모가스보드(스칸디나비아식 요리로서 가짓수가 많은 前菜:부페식)가 있어, 로렌." 우리가 디나 음식점으로 차를 몰고 갈 때 달린의 아버지가 어색한 침묵을 깨고 말을 꺼냈다. 그곳은 정말 좋은 음식점이었다. 우리는 맛있는 음식이 즐비하게 늘어서 있는 테이블을 지나면서 음식을 접시에 담았다. 우리는 머느라고 여념이 없었지만 간간이 대화를 주고 받았다.

"Youth With A Mission이란 단체가 뭐하는 데예요?" 달린은 갑자기 푸른 눈으로 나를 똑바로 쳐다보면서 물었다.

"저, 나는…사실 우리는…많은 젊은 사람들이 파도처럼 해외 선교사로 나가기를 원해요." 나는 사실 더 이상 알려 줄 내용이 없었다. 아버지는 최근에 리베리아에 있는 달라스와 래리를 방문했다. 그들은 훌륭하게 해내고 있었다. 나환자 정글을 가로질러 길을 만드는 것 외에도 외딴 마을에 가서 우리 모두를 지으신 위대하신 하나님에 대해서 전파하고 있었다. 나는 직업을 가진 선교사에 대해 달린에게 설명하고, 그들의 기술을 가지고, 정식으로 파송된 선교사를 돕는 젊은이들에 대해 이야기했다. 놀랍게도 달린은 갑자기 주의를 기울여 듣기 시작했다.

"그동안 얼마나 많은 자원자를 보냈나요?"

"10명이오."

그 대답을 할 때 내 목소리는 기어들어가는 듯했다. 비참하리만큼 숫자는 적어보였다. 나는 이제 시작하는 단계에 있었다. 그러나 벌써 두 명의 스탭이 있다. 로레인 탓지와 그녀를 돕고 있는 오베르돈 부인이었다. 두 명의 스탭과 몇 명의 자원자들, 별로 활발한 인상을 주지 못할 만한 상태였다.

"제 생각에는 참 훌륭한 착상인 것 같아요. 안그래요 여보?" 달린의 어머니는 나를 구제하듯이 그의 남편에게 말을 건넸다.

달린의 아버지는 약간 지나치리만큼 열정적으로 동의했다. 그리고 식사비를 지불하러 나갔다. 우리 넷은 다시 에드 스크래치의 교회로 돌아왔다.

주차장에는 내 올리브색 폭스바겐과 다른 차 한 대가 있었다. 다른 차는 앞이 낮고 뒤가 높은 39년형 포드였다. "이건 누구 차예요?" 나는 달린의 아버지 차 안에서 손가락으로 가리키면서 물었다.

"제 차예요. '천둥새'(별명—미국의 비싼 차 종류)가 아니라서 '천둥오리'라고 부르죠!"

이 여인은 내가 생각했던 것처럼 그렇게 수줍음을 타는 여자는 아니었다. 나는 그녀의 부모님 차에서 나와 뒷문을 열려고 돌아갔다. 그때 나는 그녀가 백미러로 자기를 비춰보고서 손가락으로 머리를 매만지며 부풀리는 것을 보았다. 그녀가 차에서 내릴 때 그녀는 실수로 나를 스치고 지나갔지만 나는 조금도 개의치 않았다.

달린은 부모님이 떠난 후에도 조금도 서두르는 것 같지 않았다. 우리는 그녀의 멋진 검은 포드차에 기대어 서서 이야기를 했다. 그 날은 태평양 바다에서 바람이 불어오는 아름다운 날이었다. 나는 달린이 정식 간호사로서 자기의 직업에 만족하고 있다는 것을 알았다. 달린은 하나님의 성회 교회의 설교자와 선교사가 배출된 가정에서 자라온 사람이었다. 내가 수천 명의 젊은이들이 선교지에 가 있는 것을 보고 싶다고 했더니 왜그런지 달린은 침묵을 지켰다.

"모든 그리스도인이 부르심을 받았다고는 생각지 않죠, 로렌?" 그녀는 덧붙여 "모든 사람이 설교자가 될 수는 없잖아요?"라고 말했다.

"모든 사람이 설교자가 될 수는 없지만 예수님을 믿는 모든 사람이 자기 나름대로 받은 '부르심'이 있다고 생각해요." 나는 잠시 말을 중단했다. 덧붙여 말하고 싶은 것이 갑자기 떠올랐다. "혹은 '당신' 나름대로의 부르심이 있을 거예요. 달린, 그 부르심에 순종해야 해요. 그 길을 가는 데 누가 방해할지라도…."

또 한번의 침묵이 흘렀다. 거리 저 아래의 어느 곳에서인가 아이들이 공놀이를 하며 웃어대는 소리가 들렸다. 나는 그녀의 기분을 상하게 하지 않았나 해서 걱정이 되었다. 사실 그녀의 기분을 상하게 하고 싶지 않았다. 마침내 그녀는 입을 열었다. 그리고 싱긋이 웃으면서 "당신이 전적으로 옳아요, 커닝햄!"라고 말했다.

나는 그녀를 좋아했다. 수줍어하지도 않고 마음을 사로잡기 위해 게임을 벌이지도 않았다. 왜 나는 갑자기 타지마할을 기억하고 있는 것일까?

나는 달라스와 래리를 만나기 위해 남캘리포니아로 시간을 맞추어 돌아온 것이 기뻤다. 그들은 리베리아에서 1년간의 일을 마치고 비행기로 돌아왔다. 우리가 함께 차를 타고 가는 동안에 그들은 그들의 사역에 대해 이야기를 했다. 정글을 뚫어 길을 만들고 주말에는 복음을 전한 이야기를 할 때에 달라스의 네모난 얼굴은 흥분으로 빛나고 있었다. 그 모험의 시간들은 그의 인생에 있어 가장 중요한 일이 일어났던 순간이라고 그가 말했다. 나는 그들에게 작별 인사를 하고 달라스와 래리가 앞으로 무슨 일을 하게 되든지 그들은 더 넓은 차원의 세계를 본 눈으로 복음을 온 세계에 전하는 데 중요한 역할을 담당했다는 확신을 가지고 살아갈 것임을 알았다.

나는 우리가 첫번째로 자원한 선교사들과 함께 성공적으로 일을 잘 해내긴 했지만 우리 앞에는 말할 수 없이 큰 과제가 놓여 있다는 것을 인식하고 있었다.

나는 집으로 차를 몰고 오면서 내가 달라스와 래리를 파송하기 전에 선교사업의 기회를 알아보기 위해 아프리카에서 했던 첫번째 여행에서 내 마음을 흔들었던 그 경험을 기억했다. 나는 어느 부락을 방문하게 되었는데 그 곳은 예수 그리스도의 복음이 한번도 전해지지 않은 곳이었고 내가 복음을 들고 간 첫번째 사람이었다. 그 부락의 노추장은 내가 통역자를 통하여 하나님이 이 세상을 위해 그 아들을 주셨다는 것을 이야기했을 때 고개를 끄덕이며 동의를 표했다. 나는 그 추장과 다른 몇 사람이 예수님을 받아들이는 결정에 관해 신중히 생각하는 것을 지켜보았다.

몇 주 후에 콩고를 떠나기 위해 비행기에 올랐다. 내가 기내에서 창밖을 내다보니 가느다란 저녁 연기 기둥이 내가 방문했던 바로 그 마을인 듯한 곳곳에서 올라오는 것이 보였다. 그리고 그런 연기 기둥이 두세 군데에서 피어올랐다. 지평선 위의 어느 곳에나 마을에서 피우는 불의 연기들이 올라가고 있었다. 내가 탄 비행기 밑으로 수백 개의 부락에서 올라오는 연기로 인해 하늘의 희미한 빛 속에 여실히 나타난 마을들을 보면서 예수님께서 우리에게 행하라고 하신 명령인 "온 천하에 복음을 전파하라"신 말씀의 중요성이 내 마음에 강하게 부딪쳐왔다.

달라스와 래리는 베이커스필드로 돌아왔다. 나는 차를 몰고 가면서 우중충한 옷을 입었던 그 아가씨를 다시 생각하고 있었다. 나는 달린에게 전화했다. 달린은 친절했지만 여전히 뭔가 거리를 두고 있는 것 같았다. 후에 나는 다시 전화하고 편지도 했지만 우리가 함께 만날 기회를 만들 수가 없을 것 같았다. 결국 나는 다른 방법을 생각했다. 나는 달린이 그녀의 고모를 만나기 위해 로스앤젤레스에 오려던 계획을 취소했다는 것을 알았다.

나는 전화를 걸어서 "달린, 만나보고 싶습니다. 이번 금요일 8시에 샌프란시스코에서 출발하는 PSA 항공의 비행기가 있는데 로스앤젤레스 공항에서 기다리고 있겠소. 만약 그 비행기로 오지 않으면 내가 달린이 있는 곳으로 비행기를 타고 가겠소."라고 했다.

그렇게 해서 며칠 후에 우리는 처음으로 정식 데이트를 하게 되었다. 달린은 금발 머리를 곱게 빗고 노란 원피스 차림이었는데 참 아름다웠다. 그러나 그녀의 태도는 아직도 약간 주저하는 눈치였다. 나는 그녀와 함께 있는 것이 즐거웠지만 무엇이 그녀를 주저하게 하는지 궁금했다.

우리가 네 번째 만나 데이트 할 때에 나는 달린과 함께 나의 폭스바겐을 타고 로스앤젤레스의 전경이 내려다 보이는 정상으로 올라갔다. 도시의 불빛이 마치 검정 우단에 박힌 보석처럼 반짝이며 빛났다. 달린은 새침하게 나로부터 멀리 떨어져 앉으려고 하는 것 같았다.

"다—알 나한테 할 말 있어요?" 그녀의 애칭을 부르며 내가 물었다.

그녀는 나를 똑바로 쳐다보고, "당신은 참 좋은 친구예요. 로렌, 정말이에요…."

"그렇지만이라는 말이 나올 것 같은데, 그렇지만 어떻다고요?"

"로렌, 당신이 전에 하나님께서 순종하려고 할 때 누구든지 중간에 서서 그것을 막도록 해서는 안된다고 말했던 것, 그게 맞는 말 같아요. 그런 사람이 있었는데요('있었다'는 말에 나는 안도의 숨을 쉬었다)." "그의 이름은 조였어요."

달린은 반짝거리는 도시의 불빛을 응시하며 얘기를 하기 시작했다. 그녀는 자신이 9살 때 아시아 어린이들이 자신을 둘러싸고 있는 환상을 보았다고 했다. 그녀의 마음 속에 그것이 바로 그녀가 선교사가 될 것이라는 하나님의 부르심이라는 확신이 왔다. 그 후 14년이 지났고, 전혀 선교에는 관심조차 없는 사람인 조와 사랑에 빠졌다. 그녀는 부모에게 알리지도 않고 그녀의 부르심도 마음에서 제쳐둔 채 조와 결혼하려는 생각을 하고 있었다.

"그 사실을 안 저의 부모님은 무엇인가 잘못되어가고 있다는 것을 느끼시고 걱정하셨어요. 그래서 우리가 그날 '디나' 음식점에 갈 때에 아버지는 억지로 저를 데리고 가신 거예요. 제가 누군가 다른 사람을 만나 조에 대한 생각을 떨쳐버렸으면 하신 거죠. 저는 무척 화가 나서 최소한의 예의만 지키기로 했어요. 그래서 내 옷 중에서 가장 보기싫은 것으로 입었었어요."

나는 껄껄대며 웃었지만 그녀는 미소지으며 이야기를 계속했다. 하나님의 부르심에 순종해야 한다는 나의 말은 그녀에게 결국 더 이상 자기 자신을 어리석게 만드는 일을 그만두도록 했다. 그날밤, 그녀는 무릎을 꿇고 기도하면서 조를 포기했다.

"어떠한 대가를 치르더라도 순종하겠다고 주님께 고백했어요. 만약 주님께서 원하신다면 노처녀 선교사라도 되겠다고 말이에요."나는 그녀의 말을 중단시키려 했으나 그녀는 계속했다. "하나님께서 내 마음에서 조에 대한 사랑을 거두어 가 달라고 부탁했어요."다음 날 놀라운 일이 일어났다. 조는 전화를 걸어 지난밤 10시 30분 경에 무슨 일이 일어났는지 얘기해 달라고 다그쳤다. 그는 바로 그 시간에 갑자기 그녀를 잃어버렸다는 생각이 들었다고 말했다.

"그런데 달린 한 가지 잘못된 게 있어요. 하나님께서 정말 노처녀 선교사가 되라고 했어요? 아니면 달린이 그냥 덧붙인 거예요?"그녀가 말을 마쳤을 때 내가 물었다.

그녀가 조용히 있는 것을 보니 나는 정곡을 찔렀다는 것을 알았다. 그녀는 만일 그녀가 선교사로서 주님을 섬긴다면 결혼을 제쳐놓아야 한다고 생각해온 것이다. 이제 왜 그녀가 그렇게 친절했으면서도 거리를 두고 나를 대했는지 알 것 같았다.

그러나 한 가지 더 이 여자에 대해 알아야 할 것이 있었다. 나는 이제 그녀나 나나 해외 선교에 사명이 있는 줄 안다. 또 그녀의 용기와 쾌활함이 그녀가 가방만 하나 들고도 여행하며 함께 생활할 수 있다고 말해주는 것 같았다. 그런데 과연 그녀는 우리 가족과 어울릴 수 있을까? 특히 어머니와?

다음에 우리가 만났을 때 나는 달린을 데리고 우리 부모님 집으로 갔다. 2년 전 내 침실이 YWAM의 첫번째 사무실로 사용됐던 집이었다. 우리가 집 앞에 있는 실난초와 선인장을 지나 들어갈 때 나는 '어떻게 될까'생각해 보았다. 달린은 어머니가 말하시는 것처럼 그렇게 고약하지는 않으시다는 걸 알아볼 수 있을까? 어머니가 그녀를 좋아할까?

어머니와 아버지는 현관문을 꽉 메우고 계셨고, 키가 크신 어머니는 깊은 눈으로 달린을 머리에서 발끝까지 자세히 살펴보고 계셨다.

"안녕, 젊은 아가씨!" 아버지는 큰 소리로 인사하시며 그의 넓적한 손을 내미셨다. 어머니는 아무 말씀도 안하셨다. 나는 숨을 죽였다.

그리고 나서 상상도 못할 최악의 사태가 벌어졌다.

어머니는 달린의 어깨와 팔을 만지시면서 불쑥 말을 꺼내셨다. "아유, 너무 말랐군. 치마는 너무 짧고!"

"전 그렇게 마르지 않았는데요. 그리고 치마도 그리 짧지 않고요." 달린은 조금도 머뭇거리지 않고 즉시 대답했다. 더군다나 싱긋이 웃으면서 얘기했다. "안녕하세요, 커닝햄 부인?" 달린은 손을 내밀며 그녀의 푸른 눈을 반짝이면서 인사했다. 어머니는 잠시 가만히 계시더니 상체를 똑바로 세우시고 크게 웃으면서 손을 벌려 달린을 껴안았다. 나는 숨을 내쉬었다. 나는 마침내 어머니에게 응수할 수 있고 또 어머니를 사랑할 수 있는 여인을 찾은 것이다.

그 다음 크리스마스가 되기까지 몇 주간 동안 달린과 나는 샌프란시스코와 로스앤젤레스간을 PSA 항공의 비행기로 바쁘게 왕래하면서 지냈다. 우리가 만난 지 겨우 네 달 후에 나는 달린과 샌프란시스코의 블럼 레스토랑에 앉아 흰색으로 칠해진 철 의자에 앉아서 바삭바삭한 과자를 즐기고 있었다.

"달린, 내 나머지 생을 당신과 함께 보내고 싶소." 그녀는 무엇인가 혼자 중얼거리더니 화제를 바꿔버렸다. 조금 있다가 나는 다시 말했다. "나 진정이요, 나와 결혼하자고 이야기하고 있는 거요."

달린은, "생각해 봐야겠어요."라고 말하더니 재빨리 "생각해 봤어요." "네!"라고 대답했다.

나는 그녀를 안고 키스했다. 하나님께서 내게 동반자를 주셨다. 내 마음은 기쁨으로 부풀어 올랐다!

그리고 3주 후인 1963년 1월 5일 그녀의 생일날, 나는 그녀에게 다이아몬드 반지를 주고 6월 14일을 우리의 결혼 날짜로 택했다. 6개월쯤 더 있어야 했다. 일생을 함께 보내기 위한 계획을 세우는 그런 흥분 속에서 우리는 둘다 앞으로 곧 인도하심을 받는 데 있어서 중요한 일면에 직면하게 될 것을 알지 못하고 있었다. 우리는 그분이 우리 각자를 위해 마련해 놓으신 그 유일한 사역에 관해 하나님께로부터 분명한 인도하심을 받을 필요가 있었다.

7

하나님은 당신에게
직접 말씀하신다

나는 결혼식을 올리기 2달 전인 부활절 기간 동안 바쁜 가운데서도 짬을 내어 바하마 섬으로 여행을 떠났다. 7년이 지난 후에 다시 그 청록빛 줄무늬의 바다를 내려다보는 것도 좋았지만 이번 여행의 목적은 아주 거창한 일을 하기 위한 장소를 물색하려는 것이었다. 3년 전 10대 청소년들을 데리고 왔다가 여러 가지 미숙한 결과를 가져왔던 하와이 전도 여행 이래 처음으로 나는 백여 명 가량의 젊은이들로 다시 그룹을 짜서 선교여행을 함으로써 내가 보았던 파도들의 환상을 실현시켜 보고 싶었다. 그 동안 우리가 20여 명의 기술을 가진 자원 선교사들을 모집해 놓긴 했지만 나는 내가 환상 가운데서 보았던 것과 흡사하면서 좀더 다이내믹한 무엇을 기대하고 있었다.

꽃들이 즐비하게 늘어선 거리나 하얀 복장에 모자를 쓴 경찰관 아저씨 등 나사우에는 변한 게 없었다. 차가 아름다운 해변가를 달릴 때에 나는 거대한 파도가 대륙을 덮고 젊은이들이 복음을 전파하고 사람들을 돕는 모습을 다시 한번 회상해 보았다.

'주님께서 큰 파도의 환상을 보여주셨던 바로 이곳에서 첫번째 물결이 이루어진다면 얼마나 그분다운 일이겠는가!'라고 생각했다. 나는 오래 전부터 하나님께서 종종 그의 계획을 미리 우리에게 알려주신다는 것을 체험을 통해 알고 있었다. 100여 명의 청소년들만 있다면 우리는 바하마 주위의 30여 개의 섬들 안에 있는 각 가정을 다

방문하여 전도할 수 있을 것이라는 생각이 들었다.

다음 날 아침 나는 그 곳에서 나를 받아준 교회 목사와 또 다른 몇몇 교회의 교역자들과 함께 낮은 콘크리트 건물로 된 나사우 복음 교회(Evangelistic Temple)를 방문하여 내년 여름에 백명 가량의 청소년들이 이 곳에 와서 전도하고 싶다는 우리의 계획을 설명했다. 나는 청소년들의 경비는 자비로 부담할 것이며, 놀러 오는 것이 아니라 일하러 올 것이라고 말했다. 우리는 그 일을 하기 봉사(S.O. S.)라 이름짓고, 우리 자신을 섬기는 데 드릴 것이라고 했다.

그들의 반응은 내가 꼭 원하던 그대로였다. 그들은 마음에서 우러나오는 초청을 해주었다. 그날 아침 그 교회를 나오면서 나는 몹시 흥분해 있었다. 며칠 후에 집으로 돌아가면 달린에게 우리가 벌써 YWAM의 첫번째 행사를 받아놓았다는 얘기를 해 줄 수 있을 것이다.

나는 서둘러서 약혼자가 있는 캘리포니아로 돌아왔다. 우리는 달린 부모님의 교회에서 전형적인 결혼식을 올렸다. 그녀는 하얀 비단 드레스를 입고 내게로 걸어왔다. 그녀의 푸른 눈은 베일 안에서 반짝였다. 우리가 결혼서약을 할 때 나의 아버지와 달린의 아버지가 함께 인도해 주셨다. 누이 필리스는 축가를 불러주었고 그의 남편 렌은 내 들러리 중의 한 사람이 되어 주었다. 제니는 어머니가 맨 앞줄에 앉으셔서 밝게 미소를 짓고 계시는 동안 촛대에 불을 붙였다.

특별한 두 분의 손님은 산드라 고모와 아르네트 고모였다. 그들은 피로연하는 자리의 양쪽 가에 앉으셔서 은 주전자에 담긴 홍차와 커피를 따르고 계셨다. 나는 우리의 깨어졌던 가족 관계가 온전히 회복되는 것을 느꼈다.

"얘야, 받으렴." 산드라 고모는 커피 주전자를 내려놓고 내게 과일 펀치를 따라 주셨다. "얘야, 넌 아주 사랑스런 신부를 얻었구나. 난 네 아내가 너의 일을 잘 도와주리라고 믿는다." 산드라 고모는 다시 사람들에게 커피를 따라주기 시작했지만 나는 이제 모든 일이 잘 해결되었다는 것을 알았다. 산드라 고모가 더 이상 하나님의 부르심에서 나를 떼어내려 하시지 않고 오히려 나와 나의 부르심에 성원을 해주고 있는 것이다.

타지마할 앞에서 나는 하나님께 동반자를 구했었고, 그때 당시 그것은 입밖으로 내지 않고 마음 속에서만 간절했던 소원이었지만 나는 그것이 기도였다고 생각한다. 나는 나름대로 선교에 부르심을 갖고 있으면서도 나의 이 독특한 생활 방식을 받아들이고 나의 가족과도 어울릴 그런 사람을 찾고 있었다. 달린은 모든 면에 적합한 사람이었다. 한 가지 더 알아 보고 싶은 게 있었는데 그것은 그녀 자신이 그 부르심 가운데서 어떻게 자기의 역할을 찾아낼 수 있을까 하는 것이었다.

우리는 신혼 여행 후 바로 아시아와 유럽으로 선교 여행을 떠나기로 했다. 그 여행을 통해 달린이 자신이 맡아야 할 역할에 대해 하나님께로부터 인도하심을 받을까 해서였다. 우리는 캘리포니아의 카멜에서 신혼 여행의 첫 주말을 보내고 우리의 결혼 선물들은 부모님 집에 맡겨 두었다. 나는 해외로 떠나기 전에 달린에게 우리의 '보금자리'를 보여주기 위해 라푸엔테로 갔다. 그 집은 침실이 4개 있었다. 나는 적은 보증금으로 그 집을 계약했었다. 나머지 금액은 아버지가 재정 보증을 서 주셔서 집을 세놓아 그 돈을 갚아나갈 수 있도록 했다. "이 집은 우리의 미래를 위해 작은 보장이 될 거야." 나는 내 신부에게 힘주어 말했다.

다음 해에 하기로 한 바하마 섬의 '하기 봉사'는 겨우 1년밖에 남지 않았다. 그렇지만 그보다 먼저 달린과 내가 관심 두어야 할 것은 서로서로에게 적응하고 한 팀으로서 어떻게 일할 것인지 알아보는 것이었다. 사실 나는 지금 이 사역에서 3년째 일하고 있지만 달린은 처음이었다. 나는 그녀 자신이 나를 그냥 따라다니는 것이 아니라는 것을 느끼기 원했다.

우리가 타지마할 앞에 함께 서 있었을 때는 우리의 여행도 벌써 반이나 지나간 후였다. 우리가 도착한 날은 보름달이 뜬 날이었다. 어깨동무를 하고 서서 푸른 빛으로 빛나는 거대한 진주형의 기념비를 바라보았다. 달빛을 받아 반짝이는 금발머리의 달린을 내려다 본 순간 나는 왜 한 남자가 이렇게 화려한 기념비를 그의 부인에게 만들어 주었는지 이해할 것 같았다.

모든 것이 순조롭게 진행되었다. 그러나 다음에 생긴 일은 나를 놀라게 했다. 우리는 싱가포르에서, 영국이 이 섬을 통치하던 시대에 지은 선교사 주택의 손님방에 머물고 있었다. 그 집은 벽이 두껍고 천정은 높은 데다 삐걱거리는 선풍기와 나무 바닥과 넓은 사각 창문이 있는 집이었다.

어느 날 내가 밖에서 돌아왔을 때 달린이 침대 위에 쓰러져 누워 있는 것을 보았다. 나는 급히 달린에게로 갔다.

"여보, 어디가 아픈거야?" 나는 그녀를 일으켜 세우며 말했다. 그녀의 눈은 울어서 빨갛게 부어 있었다. "무슨 일이야?" 달린은 대답하지 않았다. 오래된 천장에 달려 있는 선풍기는 덥고 습기찬 공기만 밀어내면서 돌아가고 있었다. "아무 것도 아니에요." 그녀는 말했다. "정말 아무 것도 아니에요." 왜 여자들은 늘 이런 식으로 말하는 걸까? "아무 것도 아닌 게 아니잖소? 말해봐요, 달린."

파리는 침대 위에서 큰 원을 그리며 윙윙거리고 멀리서는 회교 제사장이 기도하기를 재촉하는 소리가 들려왔다. 그러자 그녀는 무슨 일이 일어났는지 하나씩 얘기하기 시작했다. "여보, 나는…사람들은 나로 하여금 내가 아닌 어떤 다른 사람이 되기를 원해요." 여러 나라에 갈 때마다 우리 친구들은 나의 신부를 환영했고, 아무 의미없이 그저 "피아노 치시나요?" 하고 물었다. "아니오." "어느 신학 대

학에 다니셨나요?" "저는 성프란치스 간호대학을 나왔어요." "아, 네
에."

"로렌, 나는 하나님께서 내 목소리를 좀 바꾸어 주셔서—내 목소
리가 어떤 줄 아시죠—내가 노래할 수 있도록 해 달라고 기도해 왔
었어요." 달린은 똑바로 고쳐 앉으며 눈물을 닦고 말했다.

나는 웃으면서 '만일 내가 노래할 줄 알고 피아노 칠 줄 아는 사
람을 만나 결혼하고 싶었으면 그렇게 할 수 있었을 것'이라고 말하
며 납득시켰다.

"달린, 당신이 해야할 역할이 무엇인지 꼭 나에게 얘기해 달라고
하는 소리 같소." 나는 그녀의 손을 붙들고 말했다. 그런데 그녀를
위로하려고 하는 것을 무엇인가가 저지하는 것을 느꼈다. 나는 내가
어린 꼬마였을 때, 죽어가던 아버지를 위해서 소파 뒤에서 간절히
기도하던 때를 회상했다. 그때 어느 신사가 아버지가 관에 실려 돌
아오는 '꿈'을 꾸었다고 하면서 집으로 찾아왔을 때, 그때 어머니는
"이렇게 중요한 일은 하나님께서 제게 직접 말씀하실 거예요."라고
하셨다.

나는 마음을 굳게 먹고 달린을 가까이 당겨 두 팔로 그녀를 붙잡
고 그녀의 푸른 눈을 바라보았다.

"여보, 이것은 당신이 직접 하나님께로부터 응답을 받아야 할 문
제야, 직접 말이야. 미안해요, 도와줄 수가 없어서."

어려운 일이었지만 나는 아내가 혼자 있도록 방을 나왔다.

달린은 하나님께로부터 응답을 받았다. 내가 후에 돌아와보니 그
녀가 미소를 짓고 있었다. "로렌, 주님께서 다윗과 아비가일의 얘기
를 통해 제게 응답해 주셨어요. 아비가일은 말하기를 '나는 내 남편
의 시종의 발을 씻기겠다'고 했어요. 그게 저의 사역이에요. 종이 되
는 거예요. 사람들의 발을 씻기는 !"

달린 같이 특히 강한 여자에게서 그 소리를 듣고 보니 그것이 아

주 작은 일 같이 들렸다. 그러나 그녀의 얼굴은 아주 행복해 보였다. 그래서 나도 같이 기뻐해 주는 것 외에는 달리 할 게 없었다. 나는 달린을 꼭 안아주면서 이것이 무엇을 뜻하는지 생각해 보았다. 달린은 YWAM에서 전적인 사역자로 일하도록 부르심을 받은 첫번째 사람이었다. 이곳에 부르심을 받은 사람들은 각자가 특별히 사역해야 할 분야가 어디인지 찾아야했다. 사역은 흔히 우리가 알고 있는 것만 있는 것이 아니다. 하나님께서는 각자를 위해 독특한 사역을 준비하고 계신다. 각자가 하나님께로부터 직접 그것에 대해 들어야만 했다. '하나님의 뜻은 이것이다' 라는 나의 말을 받아들이기만 할 것이 아니라 각자 하나님께로부터 직접 그것을 들어야만 한다.

달린과 나는 사역하는 데 있어서 가장 기본적인 것이 마음의 자세라는 것을 알았다. 달린은 그런 마음의 태도, 정말 좋은 태도를 가졌다.

싱가포르에서 그런 일이 있은 후에 나는 그녀가 '발 씻기는 사역'을 잘 감당하는 것을 지켜보았다. 때로 그녀는 몹시 바쁜 선교사 사모님들을 만나면 곧 그들에게 가서 접시를 닦아주기도 하면서 사모님이 아이들과 시간을 보낼 수 있도록 해주는 것이었다. 달린은 또 우리가 머무는 방마다 안락한 가정으로 꾸미는 재주가 있었다. 아무것도 꾸밀 재료가 없을 때에는 들풀을 꺾어서 병에 꽂아두기도 했다. 그리고 나는 그녀의 섬기는 사역이 또 다른 아주 중요한 방향으로 뻗어나가는 것을 보았다. 그녀는 사람들이 필요로 하는 부분을 즉시 알아차리고, 그들의 질문에 답변해 주고, 그들과 개인적인 시간을 보내고 그들의 나누는 것을 들어주기도 하며, 아이디어를 넣어주기도 하고 상담도 하였다. 나는 하나님께서 바하마 섬에서의 첫번째 큰 행사를 갖기 전에 달린을 내게 주신 것을 감사했다. 바하마에서의 하기 봉사는 꽤 큰 과제가 될 것이다. 젊은이들의 첫번째의 큰 파도가 곧 덮칠 것이다. 흥분이 나의 온 몸을 감쌌다. 나는 바하마 섬에 갈 때까지 기다리기가 어려울 만큼 흥분해 있었다.

　그 몇 달 후 1964년 2월, 약간 습하고 쌀쌀한 어느 날 저녁이었다. 아버지는 산가브리엘 골짜기가 내려다 보이는 창문 곁에서 돌로 장식된 벽난로에 장작 한 더미를 넣어 태우고 있었다. 미주리 주 스프링필드에서 대학을 다니는 제니를 제외하고는 모든 가족이 그 곳에 모였다. 누이 필리스와 두 아이들도 와 있었다. 아이들은 지금 부엌에서 나무통을 갖고 놀기에 여념이 없었다.

　달린과 나는 너무 흥분해서 이야기를 나누고 있었기 때문에 어머니는 옆에서 한 마디 말도 할 틈이 없었다.

　"우리는 30개의 섬을 방문하기로 목표를 정해 놓았습니다." 벽난로 위 벽에 카리브해 연안의 지도를 펼쳐 놓고 플로리다로부터 도미니카 공화국 사이의 조그만 점 같이 죽 늘어서 있는 섬들을 가리켰다. "우리는 영어를 하는 젊은이를 데리고는 30개의 모든 섬에 들어가려고 하고, 스페인어를 할 줄 아는 젊은이들은 도미니카 공화국에 데리고 들어가려고 해요. 우리는 두 달 동안 그 곳에 있을 거예요." 나는 태풍 허리케인이 불기 전으로 떠나는 날짜가 정해져서 기뻤다. 우리는 7월 1일, 마이애미에서 나사우까지 비행기로 갈 예정이었다. 겨우 5개월이 남았다. 그 곳에서부터 각각 다른 팀으로 나뉘어 우편배를 이용해 다른 섬으로 갈 예정이었다. 하기 봉사는 몇 달에 걸쳐 개인당 160달러의 경비가 들 예정이었다. 그 경비는 마이애미에서 나사우까지의 왕복 비행기 값을 포함한 것이었다.

　"그렇다면 1주일에 20달러라는 말인데, 얘야, 이 계획이 주님께로부터 온 것이든지 아니면 네가 정신이 어떻게 된 것이든지 둘 중의 하나야." 어머니는 머리를 가볍게 두드리시며 말씀하셨다. 우리 모두는 그 말에 웃었지만 어머니는 결코 농담으로 하신 말씀이 아니었다.

　달린과 나는 열심히 다니면서 사람들을 모집하였다. 우리를 초대하는 곳이면 어디든지 갔다. 우리는 젊은이들에게 이렇게 말했다. "하기 봉사는 거친 믿음의 신병 훈련소가 될 것입니다. 건강의 위험도 있을 것이므로 여러분의 부모님과 의사로부터 허락을 받아야만 합니다. 또 여러분이 다니는 교회 목사님으로부터 추천서도 받으셔야 합니다. 그렇지만 이것은 여러분의 삶을 변화시키는 큰 계기가 될 것입니다." 그리고 경비는 160달러인데 달린과 내가 일하는 것과 같이 그들 스스로가 이에 대한 책임을 져야 한다고 했다. 또 관광을 위한 시간은 전혀 없을 것이며, 돈을 많이 써서 섬 주민으로 하여금 우리가 그들보다 부자라는 인식을 주지 말아야 하고, 선교 사역 기간에는 데이트도 할 수 없을 것이라는 이야기를 했다.

우리가 더 엄한 조건을 내세우면 내세울수록 자원하는 청소년들이 더욱 많아졌다.

7월 1일이 가까워 올수록 우리는 꼭 필요한 사람에게 기회를 주기 위해서 더욱 열심히 기도하고 사람을 선택해야 했다. 때때로 우리의 기도는 놀라운 방법으로 응답되었다. 어느 날 나는 콜로라도 주에서 우리의 선교여행에 대해 수백 명의 사람들 앞에서 나누고 있었다. 나는 그 중 한 소년을 특별히 주목하게 되었다. 그는 약 18세 가량 되어 보였는데 갈색의 곧은 머리를 갖고 있었고 아주 열심히 나의 말에 귀를 기울이고 있었다.

나중에 안 일이지만 달린은 그때 청중 가운데 앉아 있었는데 하나님께서 달린에게 '초록색 스웨터를 입은 소년'에게 찾아가 하기 봉사에 참여하는 것에 대해 말하라고 명령하셨다. 모임이 끝나자마자 달린은 그 소년에게 황급히 찾아갔다. 내가 말하던 그 소년은 초록색 스웨터를 입고 있었다. 그녀는 몇 분 전에 하나님께서 그녀에게 말씀하시던 것에 대해 그 소년에게 이야기를 했다. 그 소년은 말문이 막혔다. 그는 손바닥으로 그의 가슴을 치면서 "저요, 나는…나는 시큼 막 하나님께 제가 만약 가기를 원하신다면 당신들 중의 한 사람이 내게 개인적으로 찾아와 말해줄 것을 기도하고 있었어요." 그는 똑바로 달린을 쳐다보고 미소지었다. 달린은 그의 손을 붙들고 상하로 흔들면서 "이름이 뭐예요?"하고 그 소년에게 물었다. "돈 스티븐스예요."

나는 하나님께서 돈 스티븐스를 이렇게 특이한 방법으로 우리에게 소개하시는 것을 보고 그가 YWAM에서 무슨 일을 하게 될 것인지 궁금했다.

우리가 지원자를 모집하기 위해 여행하는 중 달린과 나는 여동생 제니가 다니고 있는 신학 대학을 방문했다. 제니는 그녀의 남자 친구인 마르고 곱슬 머리를 가진 오클라호마 사람 짐 로저스를 우리에게 소개했다. 우리는 대학교 가까이에 있는 모텔에서 제니와 지미에게 우리가 할 하기 봉사에 관해 들려주었다. 제니의 반응은 즉각적이었다. "무엇인가 중요한 일을 한다는 것은 항상 제가 원해 오던 것이에요." 지미는 제니만큼의 반응을 보이지는 않았지만 지미가 던져오는 질문을 통해 그도 역시 관심이 있다는 것을 알았다. 잘 되었다. 나는 이 젊은이가 마음에 들었다.

7월 1일이 가까워 오면서 나는 갑자기 우리 두 사람의 회비 320불이 없다는 것을 깨달았다. 나는 내 폭스바겐 차를 팔아서 회비를 마련했다. 우리는 모든 준비를 마치기 위해 중고 스쿨 버스를 사는 등 안간힘을 다 쓰고 있었다. 우리는 그 차를 캘리포니아에서 달라스까지의 느린 여정을 위해 사용할 것이었는데 그 곳 달라스에서 몇몇 젊은이들을 더 모집하여 플로리다로 함께 가서 맥케이 항공의 비행기를 탈 계획이었다.

나사우로 가는 비행기를 타기 일 주일 전, 우리는 3대의 학교 버스에 짐을 잔뜩 싣고 선교 지원자들을 가득 태운 다음 플로리다를 향해 출발했다. 출발하기 직전에 아버지는 내게 전화로 필리스와 렌도가 우리를 도와주기 위해 함께 가기로 결정했다고 알려주셨다. 그리고 아버지는 덧붙여 위로의 말과 함께 그의 유머를 발휘했다. "그리고 얘야, 너의 어머니가 네게 할 말씀이 있으시단다."

"무슨 말씀인데요, 아버지?"

"네 어머니가 말하기를 이것은 하나님의 아이디어든지 네가 정신이 나갔든지 둘 중의 하나라고 전하시는구나. 그리고 로렌…."

"뭐예요, 아버지?"

"나도 같은 생각이란다."

우리는 둘 다 웃었다. 사실 정확한 판단이었다. 우리는 정신이 나간 사람들일 수도 있었다. 그렇지만 다른 한편으로는 우리 자신도 좀처럼 이해하기 힘든 어떤 능력이 우리를 통해 역사하신다는 사실도 충분히 가능한 것이었다.

8

푸른 파도, 거친 파도

우리는 버스로 대륙을 가로질러 가면서 여러 곳에서 자원자를 더 태워 결국 146명의 젊은이들이 그 여름에 전도 여행을 떠나게 되었다. 그 중 16명은 스페인어를 할 줄 아는 젊은이들로 도미니카 공화국으로 길 예정이었다. 마이애미에서부터 나사우까지는 비행기를 타고 갔다. 나는 나사우의 확 트인 대로를 달려 내려가면서 뒤를 돌아다보고 미소를 지었다. 젊은이들이 자동차나 봉고차에 가득 타고 있었고 트럭 위의 가방 위에도 앉아 있었다. 그들은 미국 전역에 걸쳐 여러 교회에서 몰려왔다. 마침내 우리의 일이 시작된 것이다.

복음 교회에서 처음 오리엔테이션을 하고 있는 기간 동안에 나는 두 젊은이가 특별히 잘 따라 주는 것을 보았다. 한 명은 제니의 19살된 남자 친구 짐 로저스로 그는 이미 데이트를 해서는 안된다는 규칙을 잘 견뎌내고 있었다. 또 다른 한 명은 콜로라도에서 만난 초록색 스웨터를 입고 있던 18살의 돈 스티븐스였다(돈의 여자 친구 디온이 우리와 함께 있으므로 돈도 또한 데이트할 수 없다는 규칙을 잘 따르고 있었다).

나는 돈과 금방 가까워졌고 그를 아주 아끼게 되었다. 그의 유연한 체격은 콜로라도 서부 경사지에서의 그의 거친 야외 생활을 보여주는 듯했다. 그는 필요한 일을 발견해내고 그런 것들을 거뜬히 해내고 있었다. 지미와 돈, 이 두 사람이 성장해서 앞으로 YWAM의 전임사역자가 될 수 있을까?

　오리엔테이션이 끝나고 8주 동안 전도 사역을 위해 움직일 준비가
되어 있었다. 우리는 한 팀에 평균 6명씩, 25개의 남녀 각각 구별된
팀을 만들었다. 그리고는 4명의 형제들로 구성된 첫번째 팀이 그 중
의 한 섬으로 출발하기 위해 우편배를 타려고 선창가로 나갔다. 우
리가 봉고차에서 짐을 내릴 때 햇볕이 뜨겁게 우리 위에 내리쬐었
다. 우리는 가방 등을 조그만 배에 옮겨 실었다. 그 배는 묶여 있었
으나 출렁거리는 물결에 의해 위 아래로 움직여서 페인트가 벗겨진
조그만 배였다. 우리는 여러 상자의 전도지와 버너와 휴대용 침구를
옮겨 실었다.

　마침내 우리 YWAM의 전도자들이 배 위에 오를 차례였다. 4명의
젊은이들은 차례로 남자답게 나와 악수한 다음 바나나 줄기를 쌓아
놓은 더미 위에 걸쳐놓은 판자를 메우고 섰다.

　"그 섬에 도착하는 데 얼마나 걸릴까요?" 나는 선장에게 물었다.
그는 손을 더러운 옷에 문질러 닦으면서 "모르겠어요, 바다가 잔잔
하면 아마 24시간쯤 걸릴 거예요."라고 섬 사람 특유의 악센트로 대
답했다.

　그리고 그들은 점점 멀어져 갔다. 바나나 줄기 더미 위에 앉은 그
청년들은 웃으면서 손을 흔들었다. 나도 손을 흔들어 주었다.

　이제 남은 스물 네 팀이 떠나야 했다. 돈 스티븐스 팀은 안드로스
섬으로 갈 예정이었다. 롱 아일랜드 섬에는 짐 로저스가 17명으로
구성된 한 팀을 이끌고 갈 예정이었다. 엘르테리 섬은 제니 팀이 갈
예정이고, 그랜드 바하마 섬은 돈 스티븐스의 금발의 여자 친구가
인도하는 팀이 갈 예정이었다. 우리는 6주 동안 30개가 넘는 섬의
모든 사람에게 예수 그리스도를 전할 것이고 나머지 2주 동안은 나
사우에 있는 각 가정을 방문할 예정이었다.

　마지막 팀을 떠나보낸 후에 달린과 나는 바하마 섬과 도미니카 공

화국의 섬들을 가능한 한 많이 방문하기로 하였다. 우리가 우편배로 한 섬에 도착하여 방파제 위로 기어 올라갔을 때 6명의 발랄한 소녀들이 우리를 맞아주었다. 그들은 우리 짐과 침낭을 들어주고 우리를 그들의 숙소로 안내했다. 목재로 지어진 낡은 학교였다. 열린 창문은 막대기로 받쳐져 있었다. 먼지가 뽀얗게 긴 엘리자베스 여왕의 초상화가 낡은 철판 위에서 근엄하게 우리를 내려다보고 있었다.

"그 동안 어떻게 지냈어요?" 달린이 물었다. 그들은 흥분한 목소리로 그 섬에 있는 거의 모든 집을 방문해서 전도했고, 특별히 가게 앞에서 매일 밤마다 갖는 노방전도 모임에 젊은이들이 많이 참석하였다고 말했다. "그 가게 앞이 발전기가 있는 유일한 장소예요. 그래서 우리는 밝은 데서 모임을 가질 수 있어요."

다음에 우리가 방문한 섬에서도 비슷한 보고를 들었다. 사실 이 젊은이들은 대단한 전도자들이었다. 우리가 이섬, 저섬을 방문할수록 우리의 기쁨은 풍선처럼 커갔다. 내가 스프링필드에서 여러 교계 지도자들에게 이런 것에 관해 나누려 할 때 나는 좀더 자세한 것을 기억했었으면 했다.

─한 곳에서는 술집 주인이 예수 그리스도를 따르기로 결정하고, 술집을 팔려고 내놓았다.

─팔이 굽어졌던 노인이 고침을 받아 팔을 펴게 되었다. 이 노인을 위해 기도했던 18살짜리 소녀는 너무 놀라 기절했다.

─거의 아무 것도 보지 못했던 어떤 부인은 몇년 만에 처음으로 글을 읽을 수 있게 되었다.

─등이 굳어서 아픔으로 고통 당하던 한 남자는 고침을 받아 웃으면서 등을 구부려 손가락으로 발가락을 만질 수 있게 되었다.

─어떤 소년의 팀은 바싹 야윈 한 어부를 고용해서 돌풍이 부는데도 불구하고 한 섬으로 가고 싶어했다. 그 청년들이 기도했을 때 그들 앞에서 요동하던 바다가 잔잔해졌다. 그 어부는 너무 놀라서 그

들이 육지에 도착했을 때 그들보다 앞서 가서 마을 사람들을 부르며 "이 젊은 '하나님의 사람'들이 하는 말을 들어보라"고 소리질렀다.

달린과 나는 전도팀과 함께 바하마 사람들의 가정을 방문했다. 우리가 어느 한 집에 들어갔을 때 나는 곧 부서질 것 같은 의자에 앉아서 우리의 동역자인 10대 소년이 한 부인과 기도하는 것을 지켜 보았다. 그 판자집의 벽에는 금이 가 있었는데 그 틈으로 더러운 거리가 다 내다보였다. 그 부인은 예수님을 그녀의 삶 가운데 모셔들였다. 바로 이런 일을 위해 우리가 여기에 온 것이다. 그리고 동시에 나를 흥분시킨 것은 나와 함께 전도를 다니는 이 10대 소년이 한번도 성경책을 가져본 일이 없는 부인에게 성경책을 건네주며 그녀와 그 가족을 위해 기도하겠다고 약속하던 소년의 눈에 서려 있던 그 열정의 빛이었다. 우리가 그 낡은 판자집을 나오면서 한 가지 확신한 것은 그 부인이나 소년의 앞으로의 삶이 완전히 달라지리라는 것이었다.

6주간은 마치 날아가는 것 같이 빠르게 지나갔다. 130명의 젊은이들은 나사우로 돌아오는 우편배를 탔다. 우리는 마지막 2주를 바하마의 수도인 나사우에서 보낼 예정이었다.

우리는 도심에서 조금 떨어진 로열 공군 기지 격납고에 머물렀다. 그 건물은 제2차 세계대전 중에 사용하던 금이 갈라진 시멘트 활주로 옆에 파손된 채 기울어져 있었다. 움푹 들어간 입구 왼편을 자매들이 쓰고, 오른편은 형제들이 쓰기로 했다. 달린과 나는 창고로 사용하던 작은 방을 쓰기로 했다. 우리는 야외용 버너를 설치해 놓고 제니와 디온이 아침 5시에 일어나 식사를 준비하기로 했다.

나사우에서의 마지막 며칠 동안 우리는 청년들이 기록한 보고서를 다시 검토하였다. 6,000명 가량의 사람들이 그리스도를 따르는 것에 대해 관심을 보였고 두 개의 다른 섬에는 우리 청년들이 사역한 결과로 교회가 세워지기에 이르렀다. 그러나 가장 중요한 결과는 통계적 숫자보다도 경험이었다. 한번은 이런 일도 있었다. 2명의 Y-WAM 전도자들이 점퍼 주머니에 손을 꾸겨 넣고 술집으로 들어가려는 청년을 붙들고 복음을 전했는데 그는 서서 그 말을 듣다가 갑자기 마음이 깨어져서 눈물을 흘리며 회개하고 그리스도를 영접했다. 그때 그는 주머니 안에 들어 있던 권총을 꺼내 보여주었다. 그는 자기 부인을 죽이기 위해 술집으로 가려던 중이었는데 그 대신 그와 두 전도자가 술집으로 들어가 그의 부인에게 복음을 전했고 그녀도 그리스도를 믿게 되었다. 그와 그의 부인은 그 곳에 있는 교회에 나가기 시작했다.

우리는 미국으로 돌아가기 전에 나사우 전 도시에서 대성회를 열계획이었다. 우리는 그 성회를 시작하였고, 그러면서도 계속해서 가정을 방문하며 전도했다. 시간이 흐름에 따라 나는 우리가 이 여름성회를 무사히 끝낼 수 있을지 염려스러웠다. 하늘에는 먹장 구름이 잔뜩 몰려 있었다. 험악한 기후를 몰고 올 열대성 저기압에 대한 기상 통보가 있었다. 그리고는 기후가 험악해졌다. 매일 저녁—항상우리 집회가 끝날 때쯤이면—억수같은 비가 한 차례씩 쏟아지는 것이었다. 우리 청년들은 덮개가 없는 트럭을 타고 격납고까지 와야했다. 그들의 몸은 흠뻑 젖었지만 큰 소리로 노래를 부르며 만족한 표정으로 돌아왔다. 우리 청년들은 너무 즐거운 나머지 눈치를 채지못했지만 나는 약간 위험스럽다는 느낌이 들었다. 나는 쓰러져가는 격납고를 살펴보다가 몇 군데서 빗물이 주룩주룩 새는 것을 발견했다.
이 젊은이들이 첫번째로 경험하는 전도 여행에 이 웬일일까! 그것은 악몽과 같았고 상태는 점점 더 어려워지고 있었다. 8월 22일, 나는 클레오 태풍 1호가 대서양을 건너 본격적으로 올라오고 있다는 소식을 들었다. 나는 기상대로 달려가 담당관에게 말했다. "만약 우리 가족들이 나갈 수 있는 방법이 있다면 당장 그렇게 하겠소." 태풍은 프랑스령 서인도 제도와 하이티와 도미니카 공화국을 휩쓸고 지나갔다. 그 곳에 간 우리 16명의 젊은이들은 무사하다는 소식을 받고 우리는 감사와 찬양의 시간을 가졌다. 폭풍은 지금 쿠바를 덮치고 있었다. 그 폭풍이 곧장 나사우로 올라올지도 몰랐다.

우리는 서둘러 그 격납고를 떠나 단단하고 얇은 콘크리트 건물로 된 복음 교회로 옮겼다. 자매들은 에어 메트리스를 가지고 지하실에 머물고, 형제들은 교회 예배실 의자 위에서 자기로 했다. 달린과 나는 조그만 사무실을 거처로 정했다.

그리고 우리는 기다렸다.

밖에는 바람이 윙윙거리고, 빗줄기는 꼭 잠긴 지붕의 유리 창문을 세차게 두들겨대었다. 우리는 예배실에 모여서 기도하기 시작했다. 우리는 안전했기 때문에 우리 자신들보다는 나사우 빈민촌의 판자집에 사는 무단거주자들과 그 밖의 섬들에 사는 아무도 돌보지 않는 쓰러져가는 집에 사는 사람들을 위해서 기도했다. 나는 특별히 벽사이의 틈이 너무 크게 갈라져서 밖이 내다보였던 그 집을 위해 기도했다.

태풍이 그 섬을 강타했던 날 밤에 나는 우리 중에 많은 사람들이 복음의 한 중요한 면을 올바르게 강조하지 않는 위험성을 지니고 있다는 것을 깨달았다. 예수님께서 우리가 해야 할 두 가지 중요한 일이 있다고 말씀하셨다. 하나는 "네 마음과 정성과 뜻과 힘을 다해 하나님을 사랑하라"고 하셨다—사람들에게 그렇게 하도록 가르치는 것이 전도이다. 또 다른 명령은 우리 이웃을 우리 몸처럼 사랑하고 우리 힘이 닿는 대로 사람들을 돌보는 것이다. 즉 하나님을 사랑하고 이웃을 사랑하는 것이 복음의 두 면이다. 하나님을 사랑하고 이웃을 사랑하는 이 두 가지는 거의 구분지을 수 없는 것이다. 아주 밀접하게 연결되어 있어서 따로 떼어놓고 말하기는 불가능한 것이다

세차게 두드려대는 빗줄기처럼 내 심장이 뛰고 있었다. 나는 선교 사역에 대한 완전히 새로운 개념을 파악해가고 있었다. 그것은 전도 와 구제사역이 조화를 이루어 행해져야 한다는 것이었다.

다음 날 60cm가 넘는 물이 나사우의 중요 도로인 베이 스트리트 로 쏟아져 내려왔다. 그러나 폭풍은 우리를 해치지 못했다. 달린과 내가 침실로 쓰고 있는 작은 사무실에 있을 때, 키가 작달막한 젊은 자원봉사자가 소식을 갖고 들어왔다.

"로렌, 방금 라디오를 들었는데요, 클레오 태풍은 적어도 138명의 사망자를 냈대요. 100명도 넘는 사람이 부상을 당하고 1,000여 명 이 집을 잃었대요."

나는 달린을 쳐다보았다. 그녀 역시 섬의 원주민들과 판자집과 거 기서 우리가 만난 사람들을 생각하는 것 같았다. "기도합시다." 내가 제의했다. 달린과 나 그리고 그 젊은 YWAM 청년은 고개를 숙이고 그들이 가진 그 작은 것마저도 잃어버린 사람들, 집이 없는 사람들, 가족을 잃은 사람들을 위해 기도했다.

"우리가 할 수 있는 무엇인가가 있었으면 좋겠소."라고 내가 말했 다. "만일 우리가 먹을 것과 의복과 건축자재 등을 가지고 갈 수 있 다면 우리는 우리 YWAM 젊은이들로 하여금 집을 다시 짓는 것을 돕게 할 수도 있을 것이다. 그렇게 많은 사람들, 그렇게 많은 재료들 을 옮기려면 우리는 배가 필요할 것이다."

내가 그냥 아이디어로 얘기했는데도 내 머리 속에서는 그 생각이 구체적으로 잡혀가기 시작했다.

굉장한 일이지 않는가! 정말 도움이 필요한 곳으로 가기 위한 배, 사람들을 실제적인 면에서 도와줄 '청년들' 그리고 그들의 문제의 궁극적 해답은 예수 그리스도라고 말해줄 청년들이 가득 실린 배, 그렇지만 꿈같은 계획이 아닌가? 물론 우리가 지금 떠나기 때문에 현재로서는 우리가 할 수 있는 것이란 없었다. 답답한 일이었다. 우리는 교회를 깨끗이 정돈하고 집으로 돌아가기 위해 짐을 챙겼다. 그러는 동안에 나는 무엇인가가 내 영혼에 심기워졌다는 것을 알았다. 그리스도인들은 예수님께서 하신 것 같이 사람들이 아프다고 '느끼는' 그 부분에 도움의 손길을 뻗쳐야 한다. 너무나 자주 우리 모두는 하나님께서 보살피신다는 것을 표현하는 데 있어서 실패한다. 확실히 클레오 태풍으로 인해 무엇인가가 내 영혼에 심기워졌다. 나는 그 씨가 파종하기까지 시간이 얼마나 걸릴지 궁금했다.

8주 동안의 하기 봉사가 끝났다. 우리는 젊은이들을 마이애미로 향하는 비행기에 태웠다. 그들은 정말 잘 해내었다. 위험스러운 순간들도 있었지만 모든 사람들이 잘 해내었다. 마침내 우리 둘도 집에 돌아갈 시간이 되었다. 우리가 공항으로 차를 몰고갈 때 많이 지쳐 있었지만 우리는 확실히 알 수 있었다. 이 모든 것이 분명히 하나님의 계획이었다는 것을 말이다.

젊은이들로 이루어진 파도가 물결쳐 나갔던 것이다. 30여 개의 섬에 있는 사람들과 나사우에 있는 수백명의 사람들에게 복음을 전하고자 했던 우리의 목표가 거의 달성되었다. 나는 스프링필드의 지도자에게 우리가 경험한 전도 여행에 대해 보고할 순간을 기다리기가 힘들 정도였다.

달린과 나는 신이 나서 집으로 돌아왔다. 그러나 우리는 우리를 맞아줄 그 차가운 반응들에 대해 전혀 준비가 되어 있지 않았다.

9

본격적인 시작을 위한 열쇠

달린과 나는 우리가 살았던 부모님의 집을 떠나 폭스바겐 차를 몰고 스프링필드를 향해 동쪽으로 출발했다. 우리가 미주리 쪽으로 운전하고 가는 동안 11월말의 날씨는 내내 별로 좋지 못했다. 그러나 클레오 태풍보다는 훨씬 나았다. 부모님 집을 떠나는 날 아침 달린과 나에게는 여러 가지 감정이 교차되고 있었다. 우리는 산드라 고모로부터 온 소식 때문에 좀 슬펐다. 바로 며칠 전에 우리는 산드라 고모가 암이라는 소식을 들었다. 우리가 고모를 위해 기도하고 있다는 것을 알려주려고 즉시 전화를 했다. 8년전 내가 마이애미에서 음악 공연을 하는 동안 고모에게 다시 연락했던 것이 얼마나 잘한 일인가!

다른 한편으로 기쁜 소식은 '하나님의 성회'의 총장인 토머스 짐머만과 만나게 된 것이었다. 나는 우리가 그 동안 경험하고 발견한 것들, 즉 교회가 실제적으로 젊은 사람들을 효율적인 전도의 사역 가운데로 인도할 수 있다고 하는 사실을 그에게 보고할 때 그가 얼마나 흥분해하고 기뻐할지 상상할 수 있었다. 우리의 꿈이 현실로 이루어지고 있는 것이다! 우리 YWAM이 모든 교파에 참여할 수 있는 문을 열어 주긴 했지만 아직까지는 하나님의 성회의 테두리 안에 있으면서 일을 전개해 가길 원했다.

우리는 곧장 목적지까지 차로 달려갔다. 달린은 몹시 피곤했기 때문에 우리가 제니의 대학교 근처에 빌려 놓은 모텔에 남기로 했다. 우리는 제니가 다니는 학교 근처에 머무르면서 그녀와 지미를 나중에 방문하길 원했다. "본부에 있는 사람들과 같이 얘기할 시간은 충분히 있을 거예요, 여보." 달린이 말했다.

나는 혼자서 대리석으로 된 로비를 가로질러 3층으로 가기 위해 엘리베이터 버튼을 눌렀다. 나는 조용하고, 카펫이 깔려 있는 총회 이사실을 들어섰다. 이분들은 그들의 젊은 시절을 다 바쳐서 마치 나의 부모님께서 초기 사역 당시에 대장간에서 모이던 사람들과 같은 회중들에게 목회를 하시던 분들이었다. 그러므로 그들은 아마도 개척하는 데 대해서는 아주 개방적이실 것이다. 바하바 섬에서 일어났던 소식이 지금쯤은 벌써 그들에게 전해졌을 것이다. 그들은 그 젊은이들이 얼마나 큰 일을 치러냈는지 알고 있을 것이다.

비서가 총회장 사무실로 나를 안내했다. "안녕하세요? 짐머만 형제님…." '형제님'이라는 단어는 우리 교파에서 사용하는 존경을 표시하는 단어인데 우리가 하나님의 가족 안에서 형제, 자매라는 사실을 강조하는 의미에서이다. 짐머만 형제님은 진심으로 따뜻하게 내 손을 잡아주고 앉아서 책상너머로 나를 바라보았다. 과연 그는 바하마 섬에서의 실험적인 전도에 대해 들었다. 그러나 만일 내가 여전히 교회의 목사로서 사역을 계속하면서 초교파적으로 일하는 것에 대한 즉각적인 승인과 경제적인 지원을 받으려 했다면 내가 오해한 것이다. 우리가 앉아서 차분히 이야기하는 동안 내가 듣게 된 것은, 문제는 우리가 실시하는 새로운 사업 같은 것은 조직적인 단체의 보호 아래서 행해질 필요가 있다는 것이었다. 하나님의 성회 교파 안에 내가 일할 수 있는 자리는 있었다. 만약 그렇게 한다면 물론 나는 모든 시간을 다 드려 전적으로 그 곳에서 일해야 했다. 짐머만 형제님은 얘기가 끝날 때쯤 나에게 일거리 하나를 추천해 주었다. 좋은 자리였다. 그것은 본부 안에서 일하는 것으로서 봉급도 꽤 많고 간부급의 자리였으며, 예산도 나오는 자리였다. "계속해서 당신의 비전을 실행에 옮길 수 있을 거요, 로렌. 그러나 좀더 잘 관리할 수 있을 정도의 약간명만 데리고 나가도록 하시오. 이를테면 1년에 10명이나 20명의 젊은이들 정도만."

내가 이 관대한 제안을 들었을 때 가슴이 덜컹 내려앉는 것 같았다. 짐머만 형제님의 제안은 아주 합당하고 무척 안정된 것이었다. 다만 하나님께서 내게 하라고 하신, 모든 교파에서 모인 젊은이들을 파도처럼 전도를 위해 파송하는 것과는 무척 거리가 먼 것이었다. 나는 이제 무슨 일이 일어날 것인가에 대해 하나님께서 말씀하셨던 것을 설명하려고 노력했다. 그것은 1년에 20명이나 어느 한 교파에 국한된 것보다는 훨씬 더 큰 것이었다. "총회상님, 또 다른 세대가 다가옵니다. 우리가 지금까지 본 것과는 아주 다른 상황이 일어날 것입니다."

나는 더듬거리고 있었다. 그것은 내가 듣기에도 어리석은 소리같이 들렸기 때문이었다. 짐머만 형제님은 젊은 사람들과 수십 년간 일했기 때문에 젊은 사람들에 관해 잘 알고 있다고 하며 나를 납득시키려 했다. 그가 나의 계획에 대해 마음이 내키지 않는 이유를 설명할 때에 나는 그가 어려워하는 점이 무엇인가를 알았다. 만일 내가 그와 같이 큰 교파를 이끄는 책임을 지고 있었다면 나는 전체의 유익을 위해 규칙대로 행할 준비가 되어 있는 순종하는 사람들을 필요로 했을 것이다. 그러나 여기에 나는 다른 장단에 맞추면서 보조에서 벗어나 있는 것이었다. 짐머만 형제님이 말한 바도 그런 뜻이었다. 그는 내가 총회 규정에 따라 일을 할 수 없을 경우에는 교단을 떠나야한다는 것 곧 사직할 수밖에 없다는 것이었다.

'하나님, 정말 당신이 말씀하시는 것입니까?' 라고 재빨리 마음속으로 기도했다. 그리고 나는 그것이 확실히 하나님의 인도하심 가운데 받은 대답이었다고 생각했다. 나는 이제 무엇을 해야 하는가를 알았다. 정말 하나님이 나에게 말씀하신 것이라는 확신만 있다면 나는 순종해야 하고 그에 따르는 결과도 받아들여야만 했다. 짐머만 형제님이 동의는 했지만 사실은 그도 별다른 도리가 없었다.

나는 짐머만 형제님께 감사하다는 말과 함께 악수하고 약간 무거운 발걸음으로 엘리베이터로 걸어나왔다. 다시 그 대리석 복도를 지나 문을 나왔다. 나는 걸어나오면서 이게 마지막이려니 생각했다. 나의 마음은 무엇으로 휘저어 놓은 듯했다. 그리고 방금 무슨 일이 일어났는가에 대해 혼란이 왔다.

나는 모텔로 돌아와서 냉정하게 생각해 보았다. 지미와 제니가 우리를 찾아왔다. 우리가, 일어났던 얘기들을 주고받았을 때 내 결정의 중요성이 우리에게 부각되어져 왔다.

"사람들은 내가 교단에서 쫓겨났다고 생각할 거야." 내가 말했다.

"그들과 선교사들은 보통 그들이 여자들과 좋지 않은 문제가 생기든가, 돈 문제에 걸려든다든가 이상한 교리를 내세우는 그런 일이 아니고는 목사 자격을 박탈당하지 않거든요." 제니가 지적했다.

"저는 저의 부모님께 말씀드릴 일이 걱정스러워요." 달린이 말했다. 내 마음이 더욱 밑으로 가라앉았다. 나는 의자에 앉아 몸을 앞으로 숙이고 한쪽 팔을 무릎에 대고 턱을 받치고 있는 지미를 바라보았다. 나도 그도 역시 자기 부모님에 대해서 생각하고 있다는 것을 알았다.

오랜 시간 동안 우리는 말없이 그 곳에 앉아 있었다. 나는 아까 일어났던 일에 대하여 생각해 보고 또 생각해 보았다. 나는 이를 악물었다. 나는 반항하지 않기로 했지만 내 마음 안에는 원망의 뿌리가 자리잡고 있었다.

캘리포니아로 들어있을 때 이미들 알고 있었다. 나는 더 이상 차나님의 성회 목사가 아니었다. 그것은 달린과 나에게 그리고 우리 가족들에게도 받아들이기 어려운 일이었다. 그러나 나는 내가 올바른 일을 했다는 확신이 있었다. 내가 13살 때 시험을 받는 것에 대해 첫번째 설교를 한 이래로 나는 이러한 시험을 여러 번 통과했다. 나는 산드라 고모로부터 부(富)를 누릴 수 있는 기회를 제공받았을 때 거절했고, 교파 안에서의 명성에 대해서도 포기했다. 그리고 모험을 자처하고, 젊은 선교사들을 파도와 같이 파송한다는 위험스럽고 주제넘은 소리·같은 부르심에 따르기로 나의 마음을 정한 것이다.

예수님께서는 사막에 시험을 받으신 후에 그의 사역이 시작되었다. 이제 나는 장차 어떤 일이 일어날 것인가에 대한 간절한 기대로 부풀어 있었다. 우리는 발사대 위에 놓여져서 쏘아올려지기를 기다리는 사람들 같았다.

바하마 섬에서의 사역이 있은 후 8개월이 지난 뒤에 약간 이상한, 슬프지만 아름다운 일이 일어났다. 산드라 고모는 거의 위독한 상태에 있었다.

나는 고모가 수술을 받은 후에 고모를 보기 위해 동부로 갔다. 고모가 프로비던스 공항에서 나를 맞아주었을 때 고모가 심한 유방암에 걸려있다는 사실을 전혀 믿을 수가 없었다. 조금 마르고 핏기가 없어 보이긴 했지만 그녀의 얼굴은 여전히 아름다웠고 머리는 잘 매만져서 정돈되어 있었고 손톱은 정성스럽게 매니큐어가 칠해져 있었다. 고모는 노란 원피스를 입고 있었는데 수술 흔적이 거의 드러나지 않았다.

"로렌, 내 사랑하는 조카야!" 그녀는 내 뺨에 키스하고, 그녀의 리무진으로 데리고 갔다. 봄 기운이 파릇파릇하게 물이 오른 나무들이 즐비하게 늘어선 프로비던스의 거리를 달리는 동안 나는 최근에 일어났던 일과 우리가 가진 장래의 소망에 대해 그녀에게 이야기 했다.

"산드라 고모, 어떠세요?"

산드라 고모는 몸을 뒤로 기대면서 "나는 교회에 나가기 시작했단다. 내일 시간이 있다면 너와 그 교회를 가 보았다면 좋겠구나."

물론 나는 그렇게 했다. 다음날 산드라 고모와 나는 차를 타고, 앞에는 둥근 기둥들이 세워져 있고 벽돌로 지은 초기의 건축 양식으로 된 침례교회로 갔다. 우리는 이중 문으로 된 현관이 잠겨져 있지 않은 것을 보고 조용하고 약간 냉기가 도는 교회 안으로 들어갔다. 큰 창문으로부터 비춰들어오는 빛이 빈 의자들을 가득 채웠다. 산드라 고모는 높이 달려 있는 성가대 석을 가리키면서 "이제 나는 성가대에서 노래를 부른단다. 로렌, 내가 교회를 위해 무엇인가 하고 있다고 느끼면 위안이 된단다." 나는 고모가 주님을 위해 찬양을 드린다고 말하지 않는 것을 주목하여 들었다. 나는 아주 중요한 일을 해야 할 때가 왔다고 느꼈다. 고모는 죽어가고 있다. 그리고 고모는 올바른 것을 하기를 원하고 있었다. 나는 고모에게 어떻게 죄에 대한 용서함을 받아들이고 예수 그리스도께로 나아올 수 있는지 얘기해야 했다.

우리는 뒤쪽에 있는 한 의자에 앉아서 곧장 본론으로 들어갔다. "산드라 고모, 예수 그리스도께 고모의 생을 맡겨 드리고 싶지 않으세요?"

"오, 그래, 로렌!" 그녀의 눈은 밝게 빛났다.

나는 간단히 기도를 했다. 산드라 고모는 나를 따라서 자기 자신을 하나님과 그의 돌보심에 맡겨 드리는 기도를 했다.

"사랑하는 예수님, 당신을 나의 주인으로, 구세주로 모셔들입니다. 이제 제 마음 가운데 오시고, 나의 죄에서 저를 용서하소서."

내가 그녀를 떠나올 때 나는 왠지 세상에서 그녀를 마지막으로 보는 것이라는 느낌이 들었다.

YWAM으로 돌아와 다시 나의 일을 한다는 것은 쉽지 않았다. 머리 속에 가끔씩 떠오르는 고모에 대한 생각 때문이기도 했지만 솔직히 말하면 아직도 내가 스프링필드를 방문한 후에 약간 균형을 잃은 듯한 느낌이 있었기 때문이었다. 이제 우리는 완전히 우리들뿐이었다. 큰 교파에서 해주는 아무런 지원도 없었다. 나는 앞날을 내다보면서 우리가 기대하고 바라보던 발사대의 위치가 지구 반대편의 조그만 나라 뉴질랜드라고는 전혀 상상도 하지 못하고 있었다.

1월이었지만 남반구는 여름이라 조그만 수상 비행기가 목적지인 뉴질랜드의 해변 근처 섬의 낡은 캠핑 장소로 날아갈 때는 태양이 따갑게 내리쬐고 있었다. 나는 YWAM이 시작된 이래 지난 6년을 나시 뇌놀아 봤다. 22명의 직업을 가진 자원 선교사들이 아직 처음이라, 자리잡히지도 않은 몇 년 동안에 각지로 파송되었다. 그리고 146명이 바하마 섬과 도미니카 공화국으로 전도 여행을 떠났을 때 나의 꿈이 눈에 보일 수 있을 정도로는 실현되었다. 그 이후로 해마다 더 많은 선교사들이 방학을 이용하여 파송되었다. 우리가 젊은이들을 서인도 제도, 사모아, 하와이, 멕시코, 중앙 아메리카로 파송할 때마다 그 파도는 조금씩 조금씩 더 크게 일어나고 있었다. 그런데도 여전히 무엇인가 놓치고 있다는 느낌이 들었다. "왜 우리에게 일꾼이 이렇게 적을까?" 나는 이 여행을 위해 달린을 떠나 오기 전에 그녀에게 물었었다. 우리가 결혼한 지 4년 반이 되었다. 그동안 매해 여름마다 수백 명의 단기 전도 여행 자원자는 있었지만 전적으로 일하는 봉사자들은 달린과 나 외에 겨우 8명뿐이었다. 나는 이 사역이 완전히 본격적으로 시작되는 것이라고 말할 수 있는 무엇인가를 보고 싶었다. 정말 이 꿈이 하나님께서 함께 하시는 것이라는 확실한 어떤 증거를 보기 원했다. 어쩌면 뉴질랜드에 이에 대한 해답이 있을지도 모른다.

우리를 실은 수상비행기는 반짝이는 바다 위를 돌아서 뉴질랜드 가까이 있는 섬인 그레이트 베리어의 돌이 쌓여 있는 입구로 내려갔다. 가파르고 무성한 소나무로 이루어져 있는 언덕에 외떨어진 수양회 장소가 있었다. 그 밑으로는 바다로 둘러싸여 있고 몇 개의 낡은 건물과 큰 헝겊으로 기운 텐트가 모임을 위해 쳐져 있었고 잠자리를 위한 작은 텐트들도 보였다. 이 수양회 캠프에서 우리는 남태평양에서 있을 YWAM 전도 여행을 위해 지원자를 모집할 예정이었다.

우리 비행기가 바다 위를 미끄러져 가며 현란한 물보라를 일으켜 시야를 가렸다. 결혼한 지 5개월이 된 제니와 지미는 나보다 먼저 이 곳에 와서 나를 기다리고 있었다. 그들은 바위가 빽빽히 쌓인 바닷가에서 나를 맞아 주었다. 첫눈에도 친근감이 느껴지는 40대 초반의 부부가 그들과 함께 있었다. 그는 짐 도우슨이었는데 사업가였다. 그는 캠프에서 짧은 바지와 샌들을 신고 있었다. 그의 아내 조이는 그들이 나를 나의 방까지 안내하는 동안 친근하고도 명랑하게 재잘거렸다. 2주 동안 그 곳에 머무르면서 나는 고래잡이들의 판자집이 늘어서 있는 곳에 있는 한 '호화스런 방'에 머물게 되었다.

그 수양회에는 150명이 참가하고 있었는데 우리는 젊은이들을 선교사로 파송하는 새로운 계획에 대해 그들에게 얘기했다. 이 곳 그레이트 베리어에서 2주간 머문 후에 우리는 일 주일 동안 뉴질랜드 시 오크런드라는 지역에서 가정들을 방문할 예정이었다. 우리는 그들 중에서 남태평양 전도 여행에 참가할 자원자들이 나오기를 희망했다.

나는 강사로서 이 곳에 왔지만 이 외딴 섬에서 새로운 것을 배우게 된 사람은 바로 나였다. 첫번째 새로운 아이디어는 뉴질랜드의 젊은이들로부터 배웠다. 그들은 인도하심을 받는 실습을 하고 있었는데 그것은 나의 호기심을 자아내는 것이었다. 무슨 내용의 말씀인지 모르는 성경 구절의 장과 절이 그들의 마음 속에 '주어시던' 그 성경 구절이 특별한 인도하심을 위한 것인지 아닌지 깊이 생각해 보는 것이었다. "하나님께서 얼마나 자주 그런 식으로 말씀하시는지 놀라실 거예요."하고 그들은 강조했다. 그 열쇠는 완전히 예수님의 영에 순복하는 것이라고 했다. 만일 성령께서 말씀하시길 원한다면 그분은 이런 신비한 방법을 포함해서, 그가 택하시는 어떤 도구라도 사용하실 수가 있다.

내가 그 수양회 지도자들과 같이 기도하자는 초청을 받았을 때에 나는 몇 가지 놀라운 일을 경험했다. 짐과 조이 도우슨 그리고 수양회 총책임자 등 모두 5명이 그 곳에 있었다. 조이를 포함해서 그 중 4명은 강사였는데 오늘은 강사들의 순서를 정하기 위해 기도할 예정이었다. 나는 먼저 일반적으로 기도하고 나서 그 다음에 토론하리라고 생각했다. 그러나 그 대신에 그 중의 한 명이 처음 온 나를 위해 설명해 주기를, 이렇게 실제적인 인도하심을 받기 위한 기도는 그들이 먼저 하나님께 각각 똑같은 것을 말씀해 주시도록 기도하는 것이라고 했다. 나는 놀라움을 감추려고 했다.

"좋아, 무슨 일이 일어나는지 보자." "주님, 오늘의 강사는 누구입니까?" 라고 나는 멍하니 생각했다.

나는 다른 사람들과 함께 고개를 숙이고 주님께 여쭤보았다. 나는 별로 영적이지 못한 생각들이 내 머릿속을 스치고 지나갔다는 것을 고백해야겠다.

만약에 나 혼자 아무 것도 듣지 못한 사람이면 어떻게 할까? 아니면 전혀 황당한 생각을 하게 되면 어떻게 하지? 그러나 나와 함께 있는 사람들은 경험있는 그리스도인들이었다. 그들 모두는 하나님께서 개별적으로 말씀하시면서 각자에게 같은 응답을 주실 것을 온전히 기대했다. 그래서 나도 하나님을 의지하기로 결심했다. 나는 접는 의자 뒤로 몸을 기대었지만 내 마음은 의자 끝에 불안하게 걸터앉아 어떻게 될지 기다리는 사람 같았다.

그때 내 마음 속에 친근한 음성이 내 주위에 있던 네 명 가운데 한 사람의 이름을 말해 주었다.

"자 모두 준비되셨어요?" 인도자가 말했다.

한 사람 한 사람 우리들은 우리 머리 속에 떠오른 그 이름들을 이야기했다. 우리 각자가 똑같은 응답을 받았다. 제각기 다른 5명이 같은 응답을 받았다. 열린 창문으로 미풍이 불어왔다. 나는 속에서 흥분으로 몸이 떨려오는 것을 느꼈다.

날마다 우리는 이같은 방법으로 특별히 인도하심을 받았다. 나는 넋을 잃을 정도로 흥분하고 있었다. 나 외에 다른 4명의 지도자들은 이런 식으로 함께 수년을 기도해오고 있었던 것이다. 그래도 나는 우리가 같은 팀에 있는 것처럼 느껴졌다. 나는 정말 이 곳에 속해 있는 느낌이었다.

그런데 어느 날은 계획을 짜기 위한 우리의 기도 과정이 별로 잘 진행되는 것 같지 않았다. 우리는 밖에서 기도 모임을 갖고 있었는데 우리가 이 일을 하고 있는 동안 태양이 너무 강하게 우리를 내리쬐고 그런데 이번에 우리가 기도할 때 어떤 사람은 내가 강사가 되어야 할 것 같다고 느끼고, 어떤 사람들은 조이 도우슨이라고 생각했다.

무엇이 잘못되었는지 살펴보고 싶은 호기심이 생겼다. 내 생각에는 분명히 누군가가 잘못 들었다고 생각했다.

"다시 주님께 여쭤봐야 할 것 같아요." 조이는 아무렇지도 않다는 듯이 말했다.. 그녀는 때때로 그녀와 짐에게 이런 일이 생기면 우리가 이해하지 못하는 어떤 다른 요소가 있어서 그런지 하나님께 여쭤봐야 한다는 것을 배웠다고 했다. 그래서 우리는 머리를 숙이고 '제2라운드'로 들어갔다. 그리고 정확히 알려주시도록 하나님께 부탁했다. 우리 각자에게 조금씩 이해가 되기 시작했다. '로렌'이나 '조이'가 아니고 '둘 다'를 말씀하시는 것이었다. 첫번째 조이, 그리고 나,

정말 놀라운 일이었다. 난 혼자 생각했다. 마치 세 명의 동방박사 이야기 같았다. 그들은 하나님께서 그들을 각자 인도하시는 대로 별을 따라왔다. 그리고 그렇게 함으로써 모두 다 함께 예수 그리스도께로 인도되었던 것이다.

오크런드에서 각 가정을 방문하는 사역을 할 시간이 되었다. 우리는 다가오는 그 특별한 주간을 준비하기 위해 많은 일을 해야 했다. 나는 남캘리포니아 대학의 대학원에서 시험 기간 때마다 느끼던 것과 같이 긴장되고 바빠서 정신을 못차리는 것을 느꼈다. 그리고 나는 내가 해야 할 일에 비해 시간이 얼마나 부족한지 알고 있었다.

나는 아직도 우리가 그렇게 기다려왔던 '본격적으로 사역이 풀리기 시작하는' 것을 기대하고 있었다. 아마도 오크린드에서 내가 아직 알지 못했던 인도하심을 받는 데 대한 비결들을 배운 것 가운데, 그런 사역이 본격적으로 풀리게 되고 큰 파도들이 들이치게 될 무언가가 있을지도 몰랐다.

우리가 탄 조그만 여객선이 그레이트 베리어를 떠나 오크런드로의 긴 여행을 시작할 때 나는 기도했다. "아버지, 나는 어떻게 당신의 음성을 들을 수 있는지 배우려고 하는 중입니다. 아버지께서 생각하시고 계신 다음 단계를 볼 수 있도록 저를 도와주시옵소서."

배 갑판 난간에 기대어 서 있는데 차가운 물안개가 내 뺨에 부딪쳐 왔다. 한 시간이 지난 다음 나는 내가 첫번째로 한 설교 줄거리를 다시 생각하고 있었다. 바로 예수님께서 이 땅에서의 본격적인 사역을 시작하시기 전에 금식하고 기도하며 광야에 계셨었다. 나는 이 기사에 나오는 예수님의 생애로부터 한 방식을 발견했다. 그러나 나는 그 생각을 떨쳐버리려 했다. 얼마 동안 음식을 먹지 않고 기도하기를 원하는 것이 하나님께로부터 온 소원일까? 나는 하나님께 여쭤보기를 결정하고 마음문을 열었다. "하나님, 금식 기도하기를 원하십니까?"

즉시로 하나님의 응답이 내 생각에 떠올랐다. "네가 도착하는 날부터 7일 동안 사람들을 피하여 기도하기를 원한다."

나는 어안이 벙벙했다. 할 일이 너무 많았다! "하나님, 제가 당신의 음성을 바로 듣는 것입니까?" 나는 다시 여쭤 보았다. 사람들을 피하여 혼자 있는다는 의미는 내가 해야 할 일들을 피하라는 것이고 곧 짐과 제니에게 전도 여행을 위한 준비 작업을 하도록 맡기라는 것이었다. 사실 나는 그 일을 위해 수천 마일을 달려온 셈이었다. "정말 당신이 말씀하시는 것입니까?" 다만 내가 받은 응답은 다른 조용한 목소리가, "도우슨 부부가 자기들과 함께 머물라고 요청해 올 테니 너는 그렇게 하겠다고 대답하라."고 말씀하시는 것이었다.

그러한 초청이 온다는 것은 어려운 일이었다. 왜냐하면 도우슨 부부가 벌써 내가 다른 곳에 머물 계획이 있는 줄 알고 있기 때문이었다. 만약 그 초청이 '온다면' 나는 하나님의 손길을 좀더 분명히 느낄 수 있을 것이다. 그것이 제니에게 공평치 못하게 많은 일을 더 지워주는 것이라 하더라도 나는 하나님께서 금식기도하기를 원하시는 줄 알 것이다.

나는 이 모든 것에 대해 아무와도 이야기하지 않았다. 어떻게 되든지 단지 두고 보기로 했다. 사방이 어스름해지더니 저녁이 되었다.

오크런드 시가지의 불빛이 지평선 위에 밝게 비추기 시작할 즈음 짐 도우슨이 갑판 위 난간으로 나와 내 옆에 섰다. 짐이 말하기 시작했을 때 나는 숨을 죽였다. 그는 약간 주저하는 것 같았다. "저, 로렌, 나는 당신이 다른 친구들과 함께 머물 계획이 있는 줄 알지만 조이와 나는 주님께로부터 음성을 들었다고 믿어요. 우리와 함께 머물 수 있겠소?"

10

청결한 마음으로
하나님께 나아오는 것

나는 숨막힐 정도로 멋있는 항구 전경을 끼고 스칸디나비아식으로 지어진 도우슨 부부의 이층집을 눈으로 둘러보았다.

짐은 아래층에 있는 손님 방으로 나를 안내했다. 그 방은 가구들이 소박하게 놓여져 있는 이늑하고 격리된 방이었다. 또 그 방에는 외부로 출입할 수 있는 문이 있었다. 나는 하나님께서 하신 말씀 중 "사람들로부터 격리되어야 한다."는 구절을 기억했다. 나는 지미와 제니에게 전화해서 내가 1주일 동안 그들을 도울 수 없다는 별로 좋지 못한 소식을 전해 주었다.

"그렇다면 당신이 옳다고 느끼는 것에 순종하셔야죠, 로렌." 지미는 그의 오클라호마식 느린 말투로 말했다. 그가 어떤 생각을 하고 있는지 짐작할 수 있었다. '7일 동안 당신을 보지 못할 거라니 그게 무슨 뜻이에요? 이 모든 일을 우리가 하는 동안에 당신은 금식할 거란 말이에요?' 라고 말할 수도 있었다. 그러나 지미는 그런 얘기를 하지 않았다. 그는 너무 충성스러웠다. 그것이 더 나를 힘들게 했다.

전화를 끊은 후에 나는 내 침대 옆 녹색 카펫 위에 무릎을 꿇고 앉았다. 그렇다. 기도하는 것, 이것이 내가 해야만 하는 일이다. 나는 그 이유를 미처 다 깨닫지 못했지만, 이렇게 따로 떨어져 있는 시간을 가지는 것이 꼭 필요했다. 일생을 살아가는 동안 나는 거룩함에 대해 많이 들어왔다. 그 거룩함이라는 것은 아마도 여러분의 인생 가운데 올바르게 우선권을 정한다는 것을 말하는 또 다른 표현일 것이다. 나에게는 이번 주에 하나님과만 홀로 지내는 것, 그것이 '우선권'이었다. 이 주간이 하나님의 인도하심을 받는 것과 직접 연결이 되어 있지 않다면… 나는 오히려 놀랄 수밖에 없을 것이다.

처음 이틀은 별다른 일이 없었다. 나는 무릎을 꿇고 기도하거나 방을 걸어다니며 기도하고, 앉아서 기도하고, 바닥에 몸을 쭉 펴고 엎드려 기도하기도 하며 때때로는 성경을 읽기 위해 자유 시간도 자주 가졌다. 그러나 대부분의 시간은 그저 주님을 기다리는 데에 보냈다. 때때로 하나님께서는 한두 마디 말씀을 하셨다. 또 어떤 때에는 주님과 함께 있으면서 침묵을 즐기기도 했다.

금식 3일째 되는 날 비로소 획기적인 일이 일어났다. 내게 어떤 일이 일어났는가를 설명할 수 있는 유일한 단어는 '수술'이라는 말뿐이다. 그것은 영혼 수술 같은 것이었다.

나는 엎드린 채 얼굴을 카펫에 파묻고 주님을 기다리고 있었다. 갑자기 양심에 날카로운 수술용 메스가 가해졌다.

"스프링필드를 기억하는가?"

내가 상상할 수 있는 것보다도 빨리 나의 태도가 표면화되어 떠오르기 시작했다. 나의 방식대로 YWAM에 대한 비전을 보지 못했던 나의 교파 지도자들, 특히 토머스 짐머만 형제에 대한 비판적인 감정과 원망들이었다. 바하마 섬의 전도 여행 결과를 스프링필드에 보고한 이래로 이제까지 2년 동안 나는 '거절당함'으로 인해 괴로워해 왔고 내 마음 속에 나 자신의 뿌리를 부인하는 마음이 생기기 시작했었다.

나는 갑자기 나와 내 자신의 생각을 방어하기 위해 노력하며 낭비한 그 모든 시간들을 인식하기 시작했다. 예수님에 관해 사람들에게 전하는, 내가 해야 하는 가장 중요한 일들로부터 그 시간이 도적질을 당한 것이었다. 울면서 나는 하나님께 긍휼을 구했다. 이제부터 나는 과거에 나의 지도자들이었던 분들을 주신 것에 대해 찬양하며 그들에 대해 다시 한번 감사하고 또 내가 그들로부터 받은 영적 유산에 대해서도 감사해야겠다. 정말 그 비전이 하나님께로부터 온 것이라면 나는 이제 하나님께서 그것을 방어하시도록 할 것이다. 나는 녹색 카펫 위에 엎드려 하나님께서 나의 기도를 들으시고 또 나를 용서하시는 줄 알았다.

칼날이 와서 가해지고 또 다시 가해졌다. 하루 종일 쉬지 않고 그 일이 계속 되었다. 나는 내가 얼마나 교만했었는지 깨달았다. 나는 때때로 하나님보다는 사람들의 인정을 얻기 위해 행동했던 순간들을 생각했다. 사무실로 바뀐 내 침실에서 어머니가 하신 말씀이 떠올랐다. "얘야, 교만하면 하나님께서 너를 사용하실 수 없단다." 그리고 나서 하나님께서 내 마음속의 죄인 성적인 공상들에 대해 지적하셨다. 나는 생각으로, 말로, 행동으로 지었던 죄를 하나하나 나의 머리 속에 떠오르는 대로 그것을 고백하며 하나님께서 나를 용서해 주시고 그런 것들로부터 돌아설 수 있도록 기도했다.

영혼의 수술이 끝난 후 한 가지 더 해야할 일이 남아 있었다. 나는 펜과 편지지를 찾아서 내가 써야할 편지들을 써나가기 시작했다. 사람들과 올바른 관계를 갖기 위해 필요한 일이었다. "사랑하는 짐 머만 형제님…" 몹시 고통스러운 일이었다. 그러나 그날 밤 완전히 새롭게 정결해진 기분으로 잠자리에 들었다. 조그만 방의 내 책상 위에는 편지 뭉치가 가지런히 놓여 있었다. 그 중에 맨 위에 놓여 있는 편지 겉봉에는 미주리 주, 스프링필드 주소가 적혀 있었다.

주말이 가까워 금식기도를 서서히 마무리짓기 시작할 때 나는—아마도 YWAM—하나님의 음성을 듣고자 갈망하는 모든 사람들에게 다가오는 그 전환점을 통과했다는 것을 깨달았다. 만일 우리가 정결한 마음으로 그렇게 나아온다면 우리는 좀더 분명히 주님의 음성을 들을 수 있을 것이다. 물론, 끊임없는 고백이 필요한데 나에게는 시작이 좋았던 것 같다.

이제 앞으로 어떻게 될지가 궁금했다!

바로 그후 첫번째로 생긴 일은 확실히 좋은 일은 아니었다. 내가 기도하는 주간 동안 짐 로저스는 나를 방해할까 봐 꾹 참고 있다가 7일째 되는 날 재빨리 전화해서 내게 소식을 알려 주었다. 우리는 각 가정과 거리에서 나눠줄 전도지 십만 장을 배로 뉴질랜드로 운송해왔다. 그것은 내가 금식하는 주간에 도착되어 공장 지하실에 쌓아 놓았다. 그런데 비바람이 몰아쳐 지하실로 물이 들어와 전도지 전부가 물에 잠겨버렸다.

"즉시로 와 주실 수 있겠어요, 로렌?" 짐이 주소를 가르쳐 주었다. 반 시간 후에 습기찬 지하실로 내려가기 위해 공장 지하실로 내려갔다. 지미가 팔을 툭툭 털며 일어나 나를 맞아주었다. 제니와 또 다른 3명의 자원자들은 물에 푹 젖은 상자 안에서 물이 뚝뚝 떨어지는 수천 장의 전도지를 꺼내어 큰 탁자 위에 수북히 쌓아올리고 있었다.

"제 생각에는 이것들을 손질해서 쓸 수 있을 것 같아요, 로렌." 제니가 말했다. 그녀는 나에게 보여주기 위해 큰 압축기가 있는 곳으로 나를 데리고 갔다. 전도지를 압축기 속에 넣고 누르면 물이 짜여져 나오게 되어 있었다. 그리고는 전도지 한 장 한 장을 빨랫줄에 걸어 말리는 것이다. 우리의 그 유명한 오크런드에서의 수고는 이렇게 해서 시작되었다.

그러나 놀랍게도 우리 모두는 즐거운 마음으로 일하고 있었다. 우리는 전도지를 빨랫줄에 널어 말리는 데 1주일을 보냈다. 그리고나서 토요일 아침에는 누추한 중심가로 차를 몰았다. 나는 웃으면서 제니에게 "어머니가 지금 우리가 하고 있는 것을 볼 수 있다면 좋겠지?" 라고 하면서 차를 핑크 퍼씨캣(분홍 고양이) 클럽 앞에 세웠다. 우리가 사무실로 사용하고 있는 크리스천 다방은 핑크 퍼씨캣 옆 건물의 지하실에 자리잡고 있었다. 우리는 거의 마른 팸플릿 상자들을 꺼내어 붉은 조명등이 있는 아래층 홀로 운반해 갔다. 그 다방에서는 무료 커피와 거리에 사는 사람들에게 싸게 팔기 위해 이웃에서 만든 샌드위치를 제공해 주고 있었다.

4~5명으로 팀을 이룬 자원자들이 계속 몰려와 붉고 검은 조명이 비추이는 홀에 30명이 찼다. 나는 청년들을 바라보았다. 그들은 아직 10대였는데 요즘 유행하는 대륙풍의 바지를 입고 있었고, 소녀들은 미니 스커트에 앞 모양이 사각으로 된 구두들을 신고 있었다. 나는 특별히 넓은 폴로네시안 얼굴에 아주 즐거워하고 있는 10대 소년을 주시했다(왜 이 많은 사람 중 그가 특별히 돋보이는 것일까?). 이 30명의 젊은 사람들 중에서 미래의 선교사를 찾을 수 있을까? 이 아이들 중에는 미래에 필리핀이나 서아프리카나 철의 장막 뒤에 가려져 있는 나라들에 선교사로 가 있을 사람들도 있을까?

나는 한번 숨을 깊이 몰아쉰 후에 얘기하기 시작했다. 우리가 오크런드에 와 있는 이유에 대해 설명하고 어떻게 일들을 진행할 것인지에 대한 계획에 대해 얘기했다. 우리는 마오리인들, 사모아인들, 통가인들과 쿡아일랜드 사람 등 폴리네시아인들이 모여 사는 빈민촌인 폰슨비로 들어갈 예정이었다. 우리는 지도 위에다 몇백 가구를 단위로 하여 크게 구역을 나누었다. 다시 또 보니 넓은 폴로네시안 얼굴을 한 그 청년은 그 곳에 모인 사람들과는 무언가 달라 보이는 것 같았다. 그는 예리하면서도 정확한 질문을 던지곤 하였다. "당신은 정말 가장 어려운 지역을 골랐어요."

"네 말이 맞기를 바란다. 이름이 뭐지?"

"칼라피 모알라"

나는 내 마음 속에 그 이름을 특별히 기억해 두었다.

칼라피 모알라가 말한 바가 옳다는 것이 폰슨비에서 증명되었다. 아주 어려운 지역이었다. 하루 종일 거절을 당하는 그런 괴로운 날이 지난 후에 우리는 서로 보고하기 위해 지하실 다방인 사무실에 다시 모였다. "나는 내 면전에서 하도 냉랭하게 문을 쾅 닫는 바람에 폐렴에 걸리는 줄 알았다니까요." 제니가 말했다.

다음 날 칼라피가 나의 동행자가 되었다. 그와 내가, 옛날에는 빅토리아풍의 거대한 주택들이었지만 지금은 정원에 잡초가 무성하고 빈 맥주 깡통들로 더럽혀져 있는 집들이 있는 골목길을 걸어갈 때에 나는 칼라피 모알라에 관해 좀더 자세히 알게 되었다. 칼라피는 18살이었고, 9형제 중 장남이었다. 그의 고향은 폴리네시아 군주국인 통가였다. 통가는 뉴질랜드에서 2천 마일 떨어진, 피지와 사모아 사이에 있는 작은 섬이었다.

대부분의 통가 사람들처럼 칼라피도 어려서부터 교회에 나갔지만 그와 하나님 사이에 진정한 교제가 없었다. 그는 분명히 통가의 명문 학교에서 교육받은 타고난 지도자임에는 틀림없었지만 또한 술마시고 법석을 떠는 문제아이기도 했다.

칼라피는 계속해서 자신의 이야기를 들려주었다. 어느 날 자정이 좀 지나서 술에 취한 채 집에 돌아가는 중에 갑자기 자기의 인생이 점점 황폐해 간다는 느낌이 들었다고 한다. 그는 침대 곁에 무릎을 꿇고 울기 시작했다. 그는 3시간 동안이나 울었다. 그리고 하나님께서 그의 삶 속에 들어오셔서 자기를 변화시켜 주시도록 기도했다. 그가 기도를 끝내고 일어났을 때는 8시였고 그는 전혀 새로운 젊은이가 되어 있었다. 칼라피는 학교를 졸업하기 전에 그와 그의 친구들이 어떻게 정규적으로 모여 기도하고 성경을 읽었는지 나에게 말해 주었다. 그의 학교의 많은 학생들이 기독교인이 되었다.

우리의 폰슨비에서의 첫날은 열매가 없어 보였다. 그러나 오늘은 달랐다. 폴리네시아 사람인 칼라피가 같은 섬에서 온 사람으로서 그들에게 복음을 전하자 많은 사람들이 받아들였다. 특별히 그가 '설교'하시 아니하고 사람을 변화시키는 하나님의 능력에 대해 사기 사신의 간증을 들려줄 때는 더욱 그랬다. 날이 갈수록 나는 내심 칼라피가 내가 기대해 왔던, 복음이 크게 확산되는 일에 한 부분을 맡게 되기를 바랐다.

나는 오래 기다릴 필요가 없었다. 그 주간의 막바지에 접어들던 어느날 밤, 그 다방에서 칼라피는 나와 이야기하고 싶다고 했다. 우리는 구석진 곳을 찾아서 앉았다. 시끄러운 음악소리 너머로 칼라피는 곧장 본론을 꺼냈다.

"로렌, 내 생각에는 YWAM 팀이 통가에 와야 할 것 같아요." 칼라피는 말하기를 지금부터 5개월 후인 7월에는 통가의 새 왕 타우파하우 투포우 4세의 대관식이 있을 것이므로 수천 명의 통가 사람들이 수도인 누쿠알로파로 몰려들 것이라고 했다. "그때가 YWAM이 오기에 가장 적합한 시기라고 생각해요."

그리고 그는 덧붙여서 "그리고 나는 당신과 함께 전적으로 일하고 싶어요. 나는 내 계획을 포기하기로 했어요. 그 계획들은 꽤 좋은 것들이었지만요. 로렌, 나는 그 대신에 통가로 돌아가서 팀을 위해 일정표를 짜겠어요."

나는 칼라피를 쳐다보았다. 나는 그의 계획에 대해 흥분하기 시작했다. 나는 그가 출세할 수 있는 탁월한 가능성을 갖고 있다는 것을 알았고 그보다도 그가 그 모든 것을 희생한 데 대해 존경하는 마음을 가졌다. 성장하기 위해서는 젊은 청년 남녀들이 자신들을 향한 하나님의 음성을 스스로 듣고 순종하여, 실제로 행동에 옮기는 것이 필요하다.

나는 힘을 주어 "그렇게 해보자."라고 말했다. 그리고 그 판단은 옳았다. 우리는 그날 밤 음악 소리가 너무 커서 벽을 진동시키고 있는 가운데서도 통가를 위해 함께 기도했다.

그날 밤 늦게 도우슨의 집으로 돌아왔을 때 나는 칼라피가 서양인이 아닌 사람으로서는 최초로 우리의 새 지도자 중의 한 사람이 될 수 있을 것이라는 생각이 들었다. 내가 금식하고 기도하며 정결케 되는 시간을 가진 후에 그를 만나게 된 것도 무관한 일이 아니었다.

뉴질랜드에서 6주간을 보낸 후 나는 나를 달린에게로 데려다 줄 비행기의 계단을 오르면서—우리는 두 번째 신혼 여행을 위해 하와 이에서 만나기로 했다—이 짧은 기간 동안에 얼마나 많은 일이 일어 났던가 돌아보았다. 우리의 폴리네시안 빈민촌으로의 전도 여행은 성공적이었다. 그리고 본격적인 사역의 문이 열리기 시작했다. 칼라 피 외에도, 내가 보기에 미래의 우리와 함께 일할 만한, 즉 지도자의 자질을 갖춘 사람들을 적어도 7명을 더 만났다. 7명이라는 사실이 나를 일깨웠다! 6주 동안 YWAM에서 전임으로 일하는 일꾼의 숫자 가 두 배가 될 수 있는 가능성이 생겼다.

또 한편으로 우리는 계속해서 한 사람 한 사람 우리의 인원을 늘 려가고 있었다. 어느 날엔가는 숫자가 '더해지는 것'이 아니라 기하 급수적으로 늘어나기를 꿈꾸고 있었다. 기하급수적으로 늘어나면 더 빨리 성장을 가져올 것이다. 나는 다시 칼라피를 생각했다. 먼저 그 가 훈련을 받기만 하면 아마도 그는 젊은이들을 훈련시켜 파송할 수 있을 것이다.—특별히 제3세계에서 온 사람들을.

비행기는 구름 위로 올라가서 30,000피트 상공을 날고 있었다. 지 난 몇 주간을 돌이켜보면 마치 학교에서 교육 받고 나온 기분이었 다. 하나님의 음성을 듣는 일에 새로운 방법을 알고 있는 사람들로 부터 인도하심을 받는 새로운 원칙들을 배웠다. 그리고 나는 이 원 칙들을 적용해 보았다. 사실 그것은 우리 가족 안에서 배워온 것과 별로 다를 바가 없었다. 달린과 나는 믿을 수 없을 정도로 풍요한 어 린 시절을 보냈다. 가르침을 받기도 하고 우리의 부모나 조부모로부 터 그 본보기를 볼 수도 있었다. 어떤 의미로 우리는 남다른 이점들을 가진 셈이었다. 가족적인 분위기로 신중하게 고안된 곳에서 사람들이 하나님의 음성을 듣는 것을 배우고, 그것을 실행에 옮길 기회를 갖게 되는 그런 학교가 있다면 얼마나 멋질 것인가?

얼마나 놀라운 착상인가? 사실, 그것이 하나님께로부터 온 생각인지도 모른다. 만일 그렇다면 아마도 내가 배운 '동방 박사들의 원칙'(두세 사람이 똑같은 시간에 자기들의 길을 인도하는 그 별을 보고 따라온 것과 같은 원칙)이 적용되는 것을 볼 수 있을 것이다. 주님의 방법들을 가르치는 이 학교에 대한 생각이 정말로 하나님께로부터 왔다면 하나님께서 다른 사람에게도 같은 생각을 주시리라는 기대를 한다는 것은 당연하게 여겨졌다. 나는 물론 달린에게는 그에 관한 이야기를 하기 원하지만 다른 한편으로는 YWAM을 위한 나의 다음의 목표를 비밀로 해두는 것도 지혜로울 것이라는 생각이 들었다.

내가 탄 비행기는 달린의 비행기보다 먼저 도착했다. 내가 냉방장치가 되어 있는 비행기 안에서 밖으로 나오자마자 그 부드럽고 따뜻한 공기와 폴루메리아 나무의 향기가 친숙하게 나를 감쌌다. 나는 우리가 미국 본토로 돌아가 일에 빠져들기 전에 하와이에서 이 조용한 시간을 보내기로 결정한 것이 무척 기뻤다. 하와이에 대해 생각할 때마다 내게 적합하다고 느끼는 이유가 무엇일까? 나는 동양과 폴로네시아인과 서양의 얼굴들이 어우러져 있는 주위를 둘러보았다. 하와이는 정말 동양과 서양의 연결지점이었다.

나는 달린이 도착하기 직전 시간이 남아서 분홍과 흰색으로 줄이 쳐진 짚차를 빌렸다. 우리 둘의 두 번째 신혼 여행을 하려면 제대로 해야 하지 않겠는가?

달린이 비행기 트랩을 걸어 내려왔다. 곱게 빗은 금발머리에 푸른색 원피스를 입은 그녀의 모습은 아름다웠다. 나는 그녀를 꼭 껴안았다. 우리가 분홍 짚차에 우리 가방을 던져 넣고 조그만 아파트로 차를 몰았을 때 바람이 달린의 조심스럽게 다듬은 머리를 삽시간에 흐트러뜨리고 있었다. 나는 그녀에게 뉴질랜드에서 일어났던 일에 대해 간단하게 얘기했다. 도우슨 부부와 칼라피를 만난 일이며 도우슨의 집에서 일어났던 무섭고도 놀라웠던 영혼의 수술에 관한 얘기들과 특별히 인도하심을 받는 일에 대해 내가 배웠던 모든 것을 이야기 하였다. 놀라웁게도 달린도 내가 기도했던 바로 그 기간에 금식하며 기도했었다고 얘기했다. 그리고 그녀도 역시 영혼의 수술을 받았다. 수천 마일이나 떨어져 있음에도 불구하고 하나님께서 어떻게 우리 둘을 인도하셨는가를 보는 것은 너무도 놀라운 일이었다.

어느 나른한 날, 우리는 섬을 한 바퀴 빙 돌다가 과거에 다이아몬드 헤드라고 불리던 블로우홀에 멈추었다. 우리는 짚차를 그곳에 세워두고 검은 용암바위를 기어 내려갔다. 그 아래를 보니 아주 거대한 파도가 밀려와서는 육중한 둥근 돌에 부딪쳐 산산이 부서지며 밀려나갔다. 때때로 큰 파도가 밑으로 말려들어와 큰 바위 밑의 구멍을 지나가 바위 뒤에 부딪쳐 갑작스레 큰 분수를 만들어 뿜어내곤 했다. 우리는 낭떠러지 위에서 그것을 지켜보고 있었다. 물의 그 큰 힘이 나를 놀라게 했다. 그리고 나는 다시 젊은 사람들로 이루어진 파도를 머리에 떠올려 보며 그들이 어떻게 하면 하나님의 능력을 나타내는 통로가 되게 할 수 있을까 하는 생각을 했다.

달린에게 특별히 나누고 싶은 것이 한 가지 더 있었다. 파도가 쉴 새없이 우리 발 아래로 밀려들어와 부딪쳐 오는 이 곳이 가장 적합한 장소인 것처럼 보였다.

"달린, 사실은⋯." 나는 털어놓기 시작했다. "나는 어떤 큰 것을 요즘 생각하고 있어⋯." 나는 '학교'에 관해 그녀에게 나의 생각을 말해 주었다.

"너무 멋있는 생각이에요!" 그녀는 대답했다. "우리는 요즘 많은 사람들에 의해 중요한 영향을 받았어요. 나는 다른 많은 젊은이들도 똑같은 기회를 가져야 한다고 생각해요."

우리가 흥분하여 학교에 관한 의견을 주고 받을 때에, 우리 뒤쪽에 있는 푸른 산 중턱에 열대성 구름이 몰려들기 시작했다. 그 젊은이들은 어떻게 그들의 마음과 뜻과 정성과 몸을 다해 하나님을 진실히 사랑하는지 배우게 될 것이다. 그들은 자신들이 가르치는 바를 몸소 행하면서 살아가는 귀한 남녀 선생들로부터 배우는 기회를 갖게 될 것이다. 이 외부로부터 오는 강사진은 한 번에 한 사람씩 활동의 중심부에서부터 올 것이다.

"가족적인 분위기로 학교를 만들면 어떨까요? 선생님들과 학생들 모두가 함께 배우게 되는 학교로요." 달린이 제안했다. 그녀는 우리가 나사우 격납고에서 젊은이들과 함께 생활함으로써 얼마나 그들과 가깝게 지냈는지 기억나게 해주있다.

젊은이들은 교실에만 앉아서 배우는 것이 아니고 경험을 통해서도 배우게 될 것이다. 그리고 실천을 통해 배우게 될 것이다.—다른 나라에 가기도 하고, 사람들을 만나고, 그들의 형편을 알고 도와주면서.

아이디어가 하나씩 하나씩 나오기 시작했다. 해가 주황색 공처럼 변해 수평선 아래로 사라져 가는 것도 의식하지 못한 채 우리는 학교에 관한 자세한 내용들을 떠올리기에 바빴다.

우리가 절벽 위의 그 자리를 떠나기 전에 나는 하나님께서 그것을 다른 사람들에게 말하라고 허락하시기 전까지는 비밀로 하는 것을 원칙으로 하자고 달린에게 얘기했다. 아마도 이것은 다른 사람을 통해서 학교에 관한 생각이 하나님께로부터 온 것임을 확인시켜 주시는 좋은 기회가 될 것이었다.

우리는 캘리포니아의 앨함브라에 있는 부모님의 새 아파트에서 가족들이 모두 모여 갖게 될 크리스마스 파티를 고대하고 있었다. 짐과 제니는 내가 10개월 전에 그들을 남겨놓고 떠나온 남태평양 지역에서 비행기로 오고 있었다. 아버지는 여느때와 마찬가지로 교회와 선교사들을 돌보느라고 바쁘실 것이다. 필리스와 남편 렌과 두 아이들은 그 곳에서 몇 구역 떨어진 지역에 사는데 그들도 다시 보게 될 것에 대한 큰 기대를 갖고 있었다. 어머니는 독특한 말솜씨로 대화에 한층 흥취를 돋구실 것이다.

우리가 아파트의 현관문을 들어서자 터키 고기 굽는 맛있는 냄새가 집안을 가득 채우고 있었다. 부엌에서 열심히 일하시느라고 어머니 얼굴은 빨갛게 달아 올라 있었다. 어머니는 우리 둘을 안아주며 맞아주셨고, 아버지는 우리 둘을 한꺼번에 그 큰 팔로 안아주셨다. 그 뒤에는 다른 식구들이 줄줄이 서 있었다.

나는 짐과 제니를 재촉해서 지난 10개월간 '저기 아래(남태평양)에서 있었던' 자세한 내용을 듣기 시작했다. 나는 특별히 칼라피와 통가에 관해 듣고 싶어했다. 너무나 할 말이 많았기 때문에 짐과 제니는 앞을 다투어가며 말했다. 그들이 35명의 외국인과 함께 통가에 도착했을 즈음에 칼라피는 벌써 그들과 함께 일할 20명의 통가인을 모집해 놓고 있었다. 각 섬에서 사람들이 대관식을 보려고 수도로 몰려오고 있었다. YWAMer들은 수천 장도 넘는 전도지를 돌릴 수 있었다. 모든 사람이 다 한 장씩 갖기를 원하는 것 같았다. 아무도 전도지를 버리는 사람이 없었다. (나는 폰슨비에서의 사람들을 생각해 보았다). 수백 명이 예수님을 알게 되었다.

"그리고 칼라피는?" 나는 물었다.

"너무 잘 해내었어요." 지미가 대답했다.

나는 혼자 생각했다. '하나님이 역사하셨구나!' 우리 사역이 배가되고 있다. 내가 그 곳에 있지 않았어도! 이제 칼라피가 우리 학교에 오기만 한다면!

크리스마스 파티 시간이 거의 다 되었다. 어머니는 벌써 부엌에서 냄비 부딪치는 소리를 내면서 저녁 준비를 하고 계셨다. 달린은 내 곁을 지나 가면서 의미있게 나를 쳐다보았다. 그리고 나는 그녀가 크리스마스 트리 밑에 갖다 둔 매우 특별한 선물 꾸러미를 생각하고 있다는 것을 알았다.

저녁 식사 후에 우리는 응접실에 모여 선물들을 끌러보았다. 순식 간에 응접실 바닥이 선물을 쌌던 포장지와 리본으로 가득찼다.

이런 꼬리표가 붙여져 있는 큰 선물 꾸러미만 남게 되었다. '제일 마지막에 끌러보세요. 어머니께 로렌과 달린 드림' 선물 꾸러미는 어머니 무릎 위에 놓여지고 나는 달린을 건네 보았다. 그녀의 눈은 반짝거렸다.

어머니는 포장지를 풀고 상자를 열었다. 그리고 몹시 놀라는 표정 으로 조그만 크리스마스 양말 한쌍을 꺼냈다. 그 안에서 메모를 끼 내어 말없이 읽었다. 그녀는 눈을 크게 뜨고 입을 딱 벌리면서 우리 를 바라보았다.

"아니, 정말이니?" 어머니는 벅차하시면서 우리를 건네보시고 약 간 익살맞게 웃으셨다.

"뭐예요? 무엇이라고 썼어요?" 다른 식구들이 거의 한 목소리로 외쳤다.

야단법석 끝에 어머니가 큰 소리로 읽으셨다. "이 작은 양말은 내 년 크리스마스 때 선물을 넣기 위한 것이에요. 7월에 어머니는 3번 째 손주를 보시게 될 거예요."

5년 동안의 결혼 생활 후에 달린과 나는 우리의 가정을 이룰 적당 한 시기가 되었다고 생각했다. 그 곳에 있던 모든 사람들이 내 등을 두드리면서 축하해 주었고 아버지는 등받이 의자에서 몸을 뒤로 기 대며 웃고 계셨다.

"나는 너희들이 늘 여행만 하지 않고 너희 둘만의 시간을 가졌다 는 게 기쁘구나."

1967년 가을, 뉴질랜드에서 돌아온 지 몇 개월이 지난 후에 나는 유행성 감기에 걸렸다. 별로 드문 일은 아니지만 바로 그 다음에 새로운 일이 일어났다. 통증과 열을 달래면서 캘리포니아에서 아파 누워 있을 때 어떤 생각이 나를 스쳐 갔다. "너는 학교를 시작하게 될 것이다. 그것은 전도 전략 학교라고 불리우게 될 것이다." 나는 이것이 하나님께로부터 온 것인지 궁금했다. 이 생각은 없어지지 않고 점점 커가고 있었다. 그리고 나는 달린과 내가 하와이에서 이에 관해 주고 받았던 것을 기억했다. 그때 또 다른 생각이 파고 들어왔다. "전도 전략 학교는 스위스에 세워질 것이다." "스위스라니! 하나님, 정말 당신의 음성입니까?" 나는 마음 속으로 물어보았다. 물론, 나는 사랑스러운 알프스 산지를 방문했던 것을 기억한다. 황홀할 정도로 아름다운 나라였다. 그러나 왜 하필이면 그 곳에? 우리는 유럽에서 아무 것도 한 것이 없었다. YWAM 사람들은 아프리카, 카리브해 연안, 남태평양, 남아메리카 그리고 아시아에는 갔었다. 하지만 유럽이라니? 나는 달린에게 이에 관해 이야기하고 내년 봄에 스위스에 가서 여러 가지를 알아볼 계획을 세웠다. 우리가 사는 '새 보금자리'를 비행기 표를 얻기 위한 담보로 내놓았다. 그렇지만 나는 여전히 스위스에 대한 생각이 정말 하나님께로부터 왔는지 궁금했다. 나는 하나님께서 내가 정말 그분께로부터 음성을 들었는지 확인해 주시기를 원했다.

결국 그분은 충격적인 방법으로 확인을 해주셨다.

우리가 떠나기 이틀 전에 나는 기대하지 않았던 아침 식사 초대를 받았다. 아버지와 아버지의 친구이자 성경 교사인 윌라드 캔털론과 함께 아침 식사를 하기로 약속했었다. 윌라드는 전화를 걸어 내가 아버지와 함께 나와 주기를 원한다고 권했다. "중요한 일입니다." 그분이 말씀하셨다.

그래서 아버지와 나는 글렌데일에 있는 레스토랑으로 갔다. 윌라드 씨는 승마용 장화에 옷을 말쑥하게 입고 중절 모자를 단정히 한 옆에 올려놓고 우리를 기다리고 있었다. 나는 그와 악수하고 그가 왜 나를 만나기를 원하는지 듣기를 원했다.

그가 말한 것을 들은 후에도 나는 믿을 수가 없었다.

"로렌, 당신에게 전해줄 말이 있소. 주님께서 누군가가 스위스에서 학교를 시작해야 한다는 생각을 제 마음 속에 심어주셨소. 어제 밤에 주님께서 내게 말씀하시기를 '당신'이 바로 그 사람이라는 것을 가르쳐 주셨소." 나는 간신히 혀를 움직여서 무엇인가 중얼거렸다. 윌라드 씨는 계속해서 그 학교는 세계 여러 나라에서 온 학생들과 방문 강사들로 구성되어져야 한다고 했다. "나는 가르치는 사람이 아니오. 로렌, 나는 단지 이 소식을 전하는 도구일 뿐이오."

윌라드 씨가 말할 때에 나는 더욱 더욱 흥분되는 것을 느꼈다. '동방 박사의 원칙'이 놀랄 정도로 또다시 적용되는 것을 보면서 나는 우리가 스위스에 가는 것이 절대적으로 옳다는 것을 확신했다.

우리는 4월에 제네바에 도착했다. 우리는 제네바 호수를 둘러싸고 있는 녹색 골짜기의 광경에 도취되어 있었다. 그리고 로잔으로 향하는 기차에 올랐다. 평온한 들판과 이야기 책에서나 나오는 스위스의 농가와 깔끔한 헛간을 재빠르게 지나가면서 우리의 기대감이 점점 커져 갔다.

"이 곳이 집같이 느껴질 것 같소?" 나는 달린에게 물었다.

"너무 좋아요!" 그녀는 대답했다. "평생이라도 여기서 지낼 수 있을 것 같아요."

우리는 꽃들과 제네바 호수의 반짝거림과 성당의 쌍둥이 첨탑과 저 멀리 알프스 산의 푸른 윤곽 등을 즐기면서 로잔 주위를 천천히 (달린을 위해서) 걸어다녔다. 그러면서도 줄곧 우리는 하나님께서 우리의 학교를 이 곳에서 시작하도록 하신 것에 대해 감탄했다. 우리는 로잔 밖에 있는 작은 마을에다가 학교로 쓸 집을 준비해 놓고 아기의 해산을 위해 미국으로 돌아왔다.

달린의 해산일이 다가왔고, 나는 사실 그 후로 스위스에 관해 별로 생각하고 있지 않았다는 것을 인정한다.

1968년 7월 3일이었다. 나는 필라델피아에 있었고 달린은 캘리포니아의 레드우드에 계신 그의 부모님과 함께 아기를 기다리고 있었다. 해산 예정일은 아직 3주나 남아 있었다. 그러나 그날 아침 잠이 깨었을 때 나는 달린에게 전화해야 한다는 느낌을 받았다. 그녀의 목소리는 흥분되어 있었다.

"오늘 아빠가 되신다면 어떠시겠어요?"

"오늘!" 모든 다른 일에 관한 생각이 즉시로 기억에서 사라졌다.

"정말이오?"

"네, 벌써 진통이 시작됐어요." 달린이 말했다. "제 생각에는 우리 아기가 오늘밤 8시나 9시쯤 태어날 것 같아요."

"당장 그리로 가겠소." 나는 거의 소리지르다시피 하면서 전화를 끊었다.

그러나 너무 쉽사리 말해버린 셈이 되었다. 나는 드디어 7월 4일 독립기념일 전날 밤 그 어려운 중에 자리를 예약했다. 내가 탄 비행기가 이륙하기 전에 허락을 받기 위해 필라델피아 공항 활주로에서 3시간 동안 기다려야 했다. 나는 그날 밤 11시에 레크우드 병원에 도착했다. 나는 좀더 일찍 그 곳에 도착하지 못한 죄책감과 좌절감에 사로잡혀 있었다.

나는 대기실에 계신 장인, 장모님께 물었다. "제가 너무 늦었나요?"

아니라고 하면서 두 분은 나를 안심시켰다. 그러나 달린은 고통을 겪고 있었다. 의사는 아기가 넝넝이부터 나오고 있다고 말했다.

나는 분만 대기실로 황급히 들어갔다. 달린은 베개를 베고 맥없이 누워 있었다. 번갈아가며 온 몸에 힘을 주었다가는 다시 땀으로 젖은 요 위에 맥없이 누웠다.

"당신이 올 때까지 기다려야 했어요." 그녀는 숨을 몰아쉬면서 진통 때문에 얼굴을 찡그리다가 긴신히 웃이보였다. 나는 그녀의 손을 잡고 그녀의 곁에 앉아서 기도하며 기다렸다.

의사들이 달린을 분만실로 데리고 갈 시간이 왔다. 마침내, 7월 4일 새벽 3시에 의사가 내게로 와서 고무 장갑과 마스크를 벗고는 내 손을 잡고 흔들었다.

"축하합니다! 아름다운 여자 아기를 얻으셨습니다. 어려운 출산이었지만 당신 부인은 정말 강한 분이십니다!"

우리는 아기 이름을 캐런 조이라고 지었다. 이제 우리는 진짜 가족이 되었다. 그리고 우리는 또 다른 출산을 고대하고 있었다. 학교, 그 학교는 우리가 그렇게 바라던 우리 사업의 문을 열 수 있는 여러 약속들을 담고 있는 것 같았다.

11

하나님의 인도하심이
배가(倍加)됨

젊은이들을 선교사로 내보내기 위한 하나님의 계획의 일부로서 단기간의 훈련학교를 위한 하나님의 전략을 내가 조금씩 이해하기 시작한 이래로 2년이 흘렀다. 우리가 만났던 젊은이 중에는 달린이나 나처럼 참으로 소규모의 학교와 같은 가정에서 자라난 특권을 갖춘 아이들이 많지 않았다. 우리는 가정에서 어떻게 하나님께서 우리를 깨끗케 하시고, 그분이 어떻게 필요한 것을 공급하시는지, 또한 우리를 어떻게 인도하시는지 등의 '하나님의 방법'들을 배웠었다. 이제 하나님의 모든 YWAMer들, 특별히 전적으로 일을 하는 사람들이 이와 똑같은 경험을 하기를 원하신다는 것을 느꼈다. 그리고 하나님께서는 동방박사의 원칙을 사용하셔서 특별한 인도하심을 주심으로써 이것을 우리에게 보여주셨다. 그분은 가족처럼 함께 생활하는 학교를 원하셨고 스위스에서 그 학교를 열 예정이었다.

우리가 학교를 세울 장소를 물색하기 위해 스위스에 다녀온 지 벌써 1년이 넘었다는 사실이 믿어지지 않았다. 지난 1년은 실험적인 단계였고 실수투성이였다. 우리가 처음 왔을 때 학교를 위해 물색해 놓았던 그 집은 시설이 적당하지 못하다는 것을 알았다. 그러나 바로 지난 주에, 한 친구가 판자로 다 막아 놓은 낡은 호텔을 알아냈다. 그는 그 건물이 우리에게는 적격일 것이라고 생각했다. 그래서 딜린과 나는 14개월된 캐린을 유모차에 태우고 그 곳을 조사하기 위해 걸어서 그 곳까지 갔다.

꽤 크고 낡은 호텔이었다. 호텔은 5층이었고 오래된 녹색 셔터에 회색빛 나는 회벽으로 되어 있는 건물이었다. 그 건물은 상록수 숲이 무성한 언덕 옆에 자리잡고 있었다. 우리는 그 근처를 두루 걸어 다녔다. 앞쪽 큰 잔디 밭에는 한때 옥외 카페였을 것 같이 보이는 무화과 나무 그늘로 된 정자가 있었다. 지붕 위의 바랜 간판에는 '골프 호텔'이라고 씌어 있었다. "근처에 골프장이 있었을 거야."라고 나는 한 마디 했다. 우리는 앞 잔디밭에서 가까이 펼쳐져 있는 초원과 방울을 달고 있는 소들의 경치를 즐기면서 시간을 보냈다. 그리고 멀리서는 웅장한 알프스 산이 지평선 위에 흐릿하게 모습을 드러냈다.

우리는 주 건물 옆에 있는 2층으로 된 부속 건물로 가서 집 주인을 만났다. 다행스럽게도 그녀는 영어를 할 줄 알았다. 역시 그녀가 호텔을 빌려주는 데 관심을 갖고 있다는 것을 한눈에 알 수 있었다. 그녀는 열쇠를 내주었다. "선생님, 필요하시면 무엇이든 말씀해 주세요. 그 호텔은 여러 해 동안 닫혀 있었지만 모든 것이 그대로 다 있어요."

아마도 우리가 자주 이 계단을 오르내릴 것이라는 이상한 예감이 들었다. 나는 열쇠를 돌려 빡빡한 문을 밀어제치고 안으로 들어갔다. 곰팡내와 눅눅한 냄새가 확 풍겨왔다. 그 입구 구석에는 잘 짜여진 거미줄이 쳐져 있었다. 로비는 한때는 아름다웠을 적갈색 비단으로 수놓아진 낡은 의자와 긴 소파로 장식되어 있었다. 달린은 그 우중충한 것에는 별로 신경쓰지 않는 것처럼 보였다. 그녀는 계획을 세우고 있었다. "우리는 가구에 다시 새로 덮개를 씌우고, 아름다운 장소로 꾸밀 수 있어요. 나는 벌써 아이들이 강의가 끝나면 휴식 시간에 이 곳에 나와 앉아 있는 모습들이 상상이 되요."

"그리고 여기 좀 보세요!" 그녀는 캐런을 유모차에서 내려놓아 다 낡은 동양식 카펫 위를 기어다니게 했다. 미닫이 문이 있어서 로비에서부터 큰 식당으로 들어갈 수 있게 되어 있었다. "이 방은 교실로 쓰기에 안성맞춤이에요." 우리는 넓은 계단을 올라가서 32개의 방을 다 둘러 보았다. 이윽고 달린이 '우리'의 방을 찾아냈을 때 나는 그녀가 이 곳에 머물기로 벌써 결정했다는 것을 알았다. 그 방은 2층 구석에 있었는데 유럽풍의 욕조가 갖추어진 목욕실이 딸린 방이었다. 불란서식 창문을 열면 시원한 바람과 소 방울 소리를 들을 수 있었다.

"그래서 당신은 이 곳이 얼마간은 우리집이 될 수 있다고 생각하는 거지?" 나는 웃으면서 물어보았다.

"그럼요!" 달린이 당연한 듯이 대답했다.

나는 이 곳에서 어떤 일이 일어날까를 상상하면서 다시 한번 호텔 안을 둘러보았다. 이 학교의 목적은 지식으로 우리 머리 속을 채우고자 하는 것이 아니라 우리 삶을 변화시키는 데 있다. 하나님 안에서 믿음을 키우고 그분의 성품에 대해 배우고, 그리고 어떻게 우리의 성품이 그분을 닮아갈 수 있는지를 배우는 학교, 그렇게 해서 우리가 주님께 매어 서로 하나가 되고, 또한 그 과정을 통해 우리도 서로서로 하나가 될 수 있을 것이다. 여기서 우리는 복음의 양면성에 대해 배울 수 있게 될 것이다. 내가 클레오 태풍을 통해 나사우에서 깨달았던 대로 말이다. 여기 더럽고 가축 우리 같은 냄새가 나는 건물 안에 수백 명의 젊은이들이 더 깊은 차원에서 하나님을 알아가고 하나님을 다른 사람에게 알리는 방법을 배우는 학교가 생겨날 것이다.

나는 식당으로 들어섰다. 우리는 장래에 교실로 쓸 이 방에서 젊은이들을 3개월 동안 훈련시키고 스탭과 학생들이 함께 실제 사역지에 나가 6개월을 더 훈련받게 될 것이다. 우리는 함께 우리들의 필요를 하나님께서 채워주실 것을 신뢰하면서 함께 사람들에게 우리 주님께 관해 얘기하고 교실에서 배웠던 것을 실제로 옮길 수 있게 될 것이다. 이 젊은이들은 그들 자신의 비전을 갖고 돌아오게 될 것이다. 나는 소리를 내어 말했다. "앞으로 더 늘어나게 될 거야…."

달린이 들어와서 "여보, 집 주인이 기간에 관해 얘기하고 싶대요."라고 말했다.

"좋아요. 먼저 기도합시다." 우리는 그 곳 식당에 서서 캐런을 사이에 안고 기도했다. 우리는 하나님께서 우리를 이 장소로 데려오셨다는 것을 믿고 아주 특별한 이 학교를 위해 꿈꾸어왔던 모든 것을 이루어 주시도록 기도했다. 우리가 기도할 때 나는 칼라피 모알라에 관해 생각했다. 나는 그가 이 학교에 들어오기를 간절히 원했다. 칼라피가 달린과 내가 가성에서 훈련받은 것처럼 가성이나, 학교에서라도 훈련받지 않은 것이 늘 마음에 걸렸었다. 칼라피는 우리와 함께 있어야 한다. 그는 통가 여자인 타푸와 결혼했다. 지미와 제니가 그녀를 잘 알고 있었는데 그들은 그녀가 아름답다고 말해주었다. "그리고 그녀는 통가의 귀족 가정 출신이에요." 제니는 덧붙여서 "그들은 꽤 훌륭한 팀이에요."라고 말했다. 그래도 나는 여전히 마음에 걸렸다. 칼라피는 새 선교 사역지인 뉴기니에서 그렇게 나이가 어린 사람으로서는 많은 책임을 담당하고 있었다.

그러나 지금의 나의 관심은 이 스위스 학교와 이 곳에서 일어날 모든 일에 초점이 맞추어져 있었다. 우리는 그 호텔을 임대했고, 5개국에서 올 36명의 젊은이들을 우리와 함께 있기로 한 계획을 추진시켰다. 그러나 우리는 인도하심을 받는 데 있어서 가장 기본적인 원칙 또 한 가지를 배우게 되리라는 것을 미처 깨닫지 못하고 있었다.

뉴질랜드에 있는 도우슨 가정에서 영혼 깊숙히 치료를 받았던 전적인 변화를 체험한 이래로 만일 우리가 하나님의 음성을 듣는 데 있어서 더 깊은 차원으로 나아가려면 하나님과 사람 앞에서 철저하게 정직해야 하는 것이 절대적으로 필요하다는 것을 깨달아왔다. 내 생활을 살펴볼 때 내가 정결케 되는 시간을 가진 후에야 하나님의 능력이 풀려 역사하시는 것을 볼 수 있었다. 그리고 내가 공부했던 그 모든 큰 역사적인 성령 운동들이 회개와 고백에 이어 일어났던 것을 기억했다. 나는 왜 그런 일이 연이어 일어났는지 알 수 있을 것 같았다. 정결케 하는 그 시간들은 나를 자유하게 해주기 때문이다. 사탄은 더 이상 나를 누를 어떤 비밀스러운 죄나 원망하는 마음을 찾아낼 수가 없었다.

나는 YWAMer들에게 사람들 앞에서 '고백'하는 것을 결코 강요하고 싶지는 않았다. 그러나 나는 언제 다른 사람들도 이와 같은 것을 경험하게 될지 궁금했다. 그렇기 때문에 우리가 학교를 시작했을 때 내 친구 돈 스티븐스에게 일어났던 일은 조금도 놀라운 일이 아니었다.

학교는 1969년 12월 27일에 시작되었다. 그것은 달린과 내가 함께 '골프 호텔'을 본 지 6개월이 지난 후였다. 개교한 다음 날 우리는 첫 초빙 강사를 모시고 우리의 수업을 시작했다. 돈 스티븐스와 그의 아내도 우리와 함께 있었다. 돈과 디온은 바하마 섬에서의 우리 '발사대' 경험 후에 곧 결혼하였다. 그날 밤 나는 돈과 학생들에게 나눌 말이 있는지 물어보았다. 그는 우리 앞에 서서 하나님께서 어떻게 그를 선교지로 부르셨는지 간증했다. 그의 강인한 체구는 바하마 섬에서보다 더욱 강해진 듯했다.

그 일은 산 속에 있는 조그마한 교회에서 일어났는데 그가 전적인 해외 선교사가 되어야겠다는 강한 감동을 처음 받았을 때, 그는 예배실 맨 앞쪽에 무릎을 꿇고 있었다.

몇 주 후에 깨끗한 양심을 가진 후에 오는 능력에 대한 강의가 끝난 다음 돈이 앉았던 자리에서 움찔거리더니, 드디어는 일어났다.

"저 할 말이 있어요. 저는 과장을 했어요…아니, 거짓말을 한 거죠. 첫날밤에 우리가 여기에 같이 모여서 하나님께서 어떻게 나를 부르셨는지 간증할 때 말이에요. 그분이 정말 나를 부르셨어요. 제가 말씀드린 식으로… 어느 선까지는요. 그러나 그 후에 저는 제 나름대로 이야기를 꾸며댔어요. 사실이 아닌 얘기를 … 제가 덧붙였어요. 제가 거짓말을 했습니다. 정말 죄송합니다." 그리고 그는 재빨리 앉았다.

돈의 정직함이 교실 전체에 영향을 미쳐 다른 모든 사람들도 자기들의 죄를 고백하고 무거운 짐을 벗어버렸다. 나는 그 시간을 지켜보면서 놀라움을 금치 못했다. 그날 밤 사람들이 큰 소리로 죄를 고백하지는 않았지만 그것도 괜찮았다. 긱 사람이 홀로 하나님께 조용히 나가 고백했을 수도 있다. 사실 그러한 것이 구원을 가져오는 고백이 되는 것이다. 그러나 사람들 앞에서의 고백은 겸손과 일치를 가져오고, 고백한 사람으로 하여금 생각과 감정 그리고 몸을 고치시는 하나님의 능력을 받을 준비가 되게 한다. 고백은 영혼을 밝히는 것이다. 우리가 충성된 사람들 앞에서 고백하는 것이 얼마나 유리한 점이 있는가 우리 눈으로 직접 보고 있었다. 나는 우리가 우리의 잘못을 서로서로에게 나눌 때에 오히려 진짜 가족처럼 더욱 가깝게 된다는 것을 깨달았다. 그 순간에 나는 내 자신이 자신을 겸손히 낮춘 돈 스티븐스를 위해 기꺼이 죽을 수 있다는 생각이 들었다. 그리고 다른 사람을 위해서도.

후에 학생들은 자기 방으로 돌아가서 부모님과 그들의 목사님들, 선생님들 그리고 옛날 애인들에게 편지를 써서 그들과의 관계를 올바로 정리하였다.

나는 도우슨가의 지하실 방 책상 위에 놓여 있던 작은 편지 뭉치들을 기억했다. 그리고 내 자신의 고백과 회개 시간 후에 어떻게 Y-

WAM의 사역이 새롭고 빠른 속도로 자라기 시작했는지 기억했다.

돈에게도 똑같은 일이 일어날 것인가?

1970년 여름이 끝날 무렵에 달린과 캐런 그리고 나는 호텔 근처의 숲속을 거닐면서 학교에 관해 얘기하고 있었다. 나는 달린을 바라보았다. 두 번째 아기를 임신해서 배가 불러오고 있었다. 이 날이야말로 우리 학교에 관한 아이디어가 정말 유익이 있는 것인지 판가름이 나는 날이었다. 우리 36명의 학생들이 유럽 전역에 걸쳐 멀리는 아프가니스탄까지 그들의 실제적인 실습 전도 여행으로부터 돌아오는 날이었다. 우리는 곧 그들로부터 선교 보고를 들을 수 있을 것이다. 우리는 소나무 사이를 가로질러 천천히 산책하면서—비록 달린과 내가 지난 주간에 12개 지역을 찾아 방문해 보긴 했지만—젊은이들이 경험한 것을 들을 것이 무척 기대되었다.

나는 선교지에서 그들이 어떠한 시간을 보내었는지 듣고 싶기도 했지만 먼저 학생들의 장래계획이 어떠한지 더욱 듣고 싶었다. 오늘은 중요한 날이었다. 왜냐하면 달린과 내가 3년 반 전에 함께 받았던 그 인도하심의—완전히 똑같은 말을 하나님께로부터 받은 윌라드 캔텔론에게 확인까지 받았던—결과를 볼 수 있을 것이기 때문이다. 예언과 마찬가지로 인도하심이 타당성이 있는가를 알 수 있는 기준이 한 가지 있다면 그것은 그 일이 실제로 일어났는가 하는 것이다.

우리는 오늘 이 일단의 젊은이들이 YWAM이라는 우산 아래에서 새 사역을 시작할 것인지 알게 될 것이다. 학생들이 호텔 바깥의 잔디 위에 모두 모이면 우리는 알게 될 것이다.

알프스 산이 우리를 내려다 보는 그날 오후 늦게 우리는 호텔 앞의 무화과 나무로 된 정자 아래에서 접는 의자에 둥그렇게 앉았다. 달린은 2살된 캐런과 씨름하고 있었다. 캐런은 자석에 끌려가듯이 디온의 두 살난 아기에게 정신을 못차리고 붙어 있었다. 짐과 제니도 가운데 앉아 있었다. 그들은 작은 팀을 이끌고 아프가니스탄에

갔다가 방금 돌아왔다. 나는 짐과 제니를 쳐다보면서 결혼한 지 6년이 되었는데도 아기가 없어서 기다리고 있는 그들의 기도가 언제나 응답되려는가 생각했다.

우리가 레이스 모양으로 그늘진 나무 밑에 앉아 있을 때 36명의 젊은이들이 독일과 스페인, 프랑스, 영국, 유고슬라비아, 불가리아 그리고 아프가니스탄에서 그들이 겪었던 모험에 대해 이야기하기 시작했다. 나는 모두에게 이번에 우리와 함께 전도 여행을 가지 못했지만 우리와 같이 일을 하고 있는 사람들에 대한 얘기를 들려주었다. 이 때쯤 우리는 칼라피와 타푸 그리고 뉴기니아에 있는 그들의 팀을 포함해서 세계적으로 40명이 넘는 스탭을 소유하게 되었다.

마침내 내가 오랫동안 기다리던 시간이 되었다. ─둥그렇게 둘러 앉은 사람들의 장래 계획을 듣는 시간이었다. 결과는 실망스럽지 않았다. 한 사람 한 사람 하나님께서 그들에게 YWAM과 함께 구체적으로 도움이 필요한 분야에서 독립적이면서도 선교사역과 연결되어 일하라고 말씀하신다고 믿었다. 정말 이 일이 실현되고 있는 것일까? 그렇다. 내가 그렇게 오랫동안 꿈꿔오던 기하급수적인 성장이 시작된 것이다. 젊은이들이 짧은 기간의 사역을 위해 오고, 그 중의 어떤 사람들은 학교를 위해 남고, 또 어떤 사람들은 그들 자치적으로 프랑스, 영국, 독일, 스페인으로 나아가게 된다. 제니와 짐은 스칸디나비아로 갈 예정이었다.

나는 돈과 디온, 스티븐스를 바라다 보았다. 마지막 차례로 말없이 앉아 있는 유일한 사람들이었다. 그들은 아직 아무 말도 하지 않았다. "돈?" 나는 물었다. "어떤 계획이 있어요?"

그는 의자를 앞으로 당겨 웃으면서 만일 내가 오늘 아침에 그 질문을 할까봐 염려했었다고 말했다. 왜냐하면 점심 때까지도 그는 자기와 디온이 무엇을 해야할지 몰랐기 때문이었다. 그들은 몇 주 동안 기도했는데도 아무 것도 분명해 보이지 않았다.

"나는 거의 포기했었어요. 아무 것도 반짝하고 명확히 나타나지 않았어요. 우리는 아무 인도하심도 받지 못하고 있었어요. 그리고는 점심 시간에 우리 침대 위에 놓여 있던 '타임' 지를 집어 들었어요. 펴서 독일의 뮌헨에 관한 사진을 들여다보기 시작했는데 지금부터 2년 후인 1972년에 뮌헨에서 있을 '뮌헨 여름 올림픽'을 위한 장소를 짓고 있었어요. 그리고 무슨 이유에서인지 수천 명의 공산주의를 표방하는 청년들이 얼마 전에 동부 베를린에서 구호를 외쳐대면서 행진하는 것이 기억났어요. 그것은 소름끼치는 일이었어요. 왜냐하면 그 청년들 중 아무도 눈에 빛이 없었거든요. 그 젊은이들의 눈을 보니 마치 죽은 자들이 행진하는 것 같았어요."

그는 내가 앉아 있는 곳을 건너다 보았다. 그리고 숨을 한번 들이쉬고는 손바닥으로 가슴을 치면서 말했다. "로렌, 내가 믿기로는 그 올림픽이 열리는 동안에 뮌헨에서 크리스천들의 행진이 있어야 한다고 생각해요! 제 생각에는 철의 장막과 양편에서 온 다양한 사람들을 만나 예수 그리스도에 관해 얘기할 너무 좋은 기회라고 생각해요. 그 곳에 모인 운동 선수들과 관람객들을 생각해 보면 그 곳은 조그만 세계의 축소판 같을 거예요!"

그의 말을 듣자 뭔가가 내 속에서 뜨거운 것이 솟구치는 것 같았다. 그리고 그의 말이 맞다는 생각이 들었다. 그런데 나 혼자만 그렇게 느끼는 것이 아니었다. 흥분의 외침 소리와 동의하는 소리가 둘러앉은 사람들 사이에서 일어났다. 이 생각은 선교사들을 더 많이 배출해내는 데 기여할 가장 바람직한 아이디어 중의 하나였다. Y-WAM은 돈과 같은 사람들에게 그들의 사역에 문을 열어주는 촉매 역할을 하게 될 것이다. 하나님께서는 우리의 이 작은 학교에서 나 외의 다른 사람에게 이 중요한 아이디어를 주신 것이었다.

돈이 일어나 사람들 앞에서 자신을 낮추었던 시간을 기억해 보면서 나는 그가 하나님께서 선택하신 사람이라는 사실이 참으로 기뻤다. 나는 그를 신뢰했다.

"돈, 얼마나 많은 사람이 그 곳에 가야한다고 생각해요?"

나의 묻는 말에 돈은 한동안 시선을 아래로 떨구더니 말했다.

"200명."

내게는 적은 숫자로 들렸다. 그러나 200명이라도 사실 대단한 것이었다. 특히 올림픽을 위해 몰려들 사람들을 예상하고 특별히 우리를 수용할 집이 부족한 것에 비춰볼 때에 더욱 그랬다.

그렇게 해서 우리는 보고하는 시간의 마지막을 장식했다. 나는 그 일에 대해 말할 수 없이 크게 흥분됨을 느꼈다. 후에 우리는 그룹으로 모여 기도하는 시간을 가졌다. 여러 다른 지역으로 사람들을 축복하며 떠나 보내게 되었다.

마침내 돈과 디욘 그리고 그들의 어린 아기가 떠났다. 그들은 그들의 미니 버스에 짐을 싣고 뮌헨에 관해 알아보기 위해 우리에게서 떠나갔다.

나는 우리가 아주 큰 일의 막바지에 이르렀다는 느낌을 가졌다.

12

성공 후에 따르는 위험

하나님의 인도하심에 대한 가장 중요한 원칙을 내가 미리 알았더라면, 그런 고통을 충분히 예방할 수 있었을 텐데…그 원칙은 주님께서는 어떠한 상황이든지 우리를 승리 가운데로 인도하실 것이지만 성공 그 자체는 우리가 하나님의 음성을 올바로 듣는 데 있어서 가장 위험스런 장애물이라는 것이다.

우리가 바로 앞에 놓여진 복잡한 모험에 뛰어들었을 때에 우리는 이것에 관한 아무런 예비지식도 갖고 있지 못했다.

돈 스티븐스가 처음으로 뮌헨 올림픽에 자원자들을 데리고 전도여행을 가려는 꿈을 꾸기 시작한 지 2년이 지난 어느 쌀쌀하고 추운 날이었다. 나는 코펜하겐의 회색 보도를 따라 인파를 헤치고 지나가면서 대형 하이델베르그 인쇄기에 대해 생각하며 그것을 어디에 설치해야 할지 궁리하고 있었다. 인쇄기는 2톤이나 되었고 6개월 뒤에 뮌헨 올림픽에 올 관람객들에게 나누어 줄 백만 장의 전도지를 인쇄하도록 기증받은 것이고, 종이와 잉크를 살 돈도 함께 헌금 받았었다. 우리의 유일한 문제는 그 큰 인쇄기를 설치할 장소가 없다는 것이었다. 그것이 어디론가 운반되어 설치되고, 그 주 안에 전도지를 찍어낼 수 있어야 했다.

나는 차도로 내려섰다. 볼보 차를 피하면서 오버 속으로 몸을 깊숙이 파묻었다. 나는 따뜻한 곳을 그리워하며 심과 세니가 임시모 사무실로 사용하고 있는 아파트로 갔다.

인쇄기를 둘 장소를 찾는 것은 우리 문제의 작은 한 부분에 불과했다. 수백 명의 청소년들이 뮌헨으로 올 예정이었다. 돈은 그가 처음에 자원자를 200명 정도로 예상했던 것이 너무 몸을 사린 것이었다는 것을 인정했다. 미국, 캐나다, 남아프리카 그리고 유럽을 여행하며 자원자를 모집한 결과 자원자가 약 1000명 정도가 된다는 것을 알았다. 그런데 우리에게는 아직도 그들을 수용할 장소가 없는 것이다.

돈은 숙박 시설을 위해 여러 번 뮌헨에 갔었다. 2년 전에 갔던 첫 번째 뮌헨 여행에서 그는 뮌헨 근처에서 차로 2시간 이내의 거리에 있는 큰 장소들은 벌써 다 예약되었다는 것을 발견했다.

"저어도 우리는 차고나 그와 비슷한 것이라노 찾아내야만 뇌셨군. 그래야 그 인쇄기를 돌릴 수 있지!" 이것이 돈과 내가 즉시로 해결되어야 하는 우리들의 문제를 위해서 미칠 듯이 해답을 찾아다닐 때 내린 마지막 결론이었다.

사실 나는 인쇄기를 설치할 장소나 자원자들이 머무를 장소를 그리 크게 걱정하고 있었던 것은 아니었다. 어떤 일이 일어나기 마련이었고 또 언제나 그랬다. 나는 지난 2년간을 뒤돌아 보았다. 그리고 얼마나 쉽게 일들이 진행되었었는가를 생각했다. 우리는 어떤 원칙을 발견했고 그 원칙은 적용되었다! "그리스도인이라면 누구나 발견할 수 있도록 모든 것이 거기에 있었다." 나는 약간 자신만만해하며 내 자신에게 상기시켰다. "그가 무엇하기를 원하시는지 그분의 말씀을 받기만 하면 그 다음엔 그분의 말씀을 크게 선포하고, 그 일이 일어나는 것을 지켜보라."

1년 전에 아들 데이비드가 태어나기 한 달전쯤 하나님께서는 우리에게 골프 호텔을 사라고 말씀하셨다. 이 순간까지 YWAM이 소유한 재산은 몇 개의 타이프 라이터와 조그만 중고 인쇄기(밥과 로레인이 처음 뉴스 레터를 보내는 것을 도와줄 그 당시에 우리가 사용했던 오래된 등사기에 비하면 꽤 큰 발전이었다!), 그리고 몇 대 안 되는 중고 소형차뿐이었다. 그러나 하나님께서 사라고 하셨기 때문에 우리는 그렇게 선포했다. 나는 마음을 정하였고 돈은 언제나 준비되어 있어서 가장 적당한 시간에 올 것이라는 것에 추호의 의심도 없었다.

매주 골프 호텔을 구입하기 위한 돈이 조금씩 더 들어오고 있었다. 우리 모두도 '우리가 할 수 있는 일'을 했다. 젊은이들은 희생적으로 헌금을 했다. 달린과 나는 하나님께서 라 푸엔트에 있는 우리 보금자리를 팔아서 그 돈을 헌금하라고 말씀하신다고 믿었다. 그래서 우리는 그렇게 했다. 돈을 지불해야 할 계약날인데 여전히 10,000달러가 부족했다. 나는 우리가 가진 돈을 치르기 전에 마지막으로 우리에게 온 우편물을 확인해 보기 위해 우체국에 들렀다. 그 곳에 우리가 하고 있는 일이 하나님께서 원하시는 일인 줄 믿는 몇 사람들로부터 헌금이 들어와 있었다. 도저히 믿기 어려웠다. 총액이 10,060달러였다! 단지 호기심으로 우리는 전액을 모두 지불한 후 4일 동안 우체국에 가서 우편물을 확인했었다. 단 돈 10전도 들어온 게 없었다.

나는 뮌헨에 있는 집문제도 당연하게 해결되리라고 생각했다. 그리고 인쇄기를 설치할 장소도 발견하게 될 것이다. 그러나 한편으로 올림픽이 겨우 6개월밖에 남지 않은 것을 보면 '하지만 빠를수록 좋은데' 하는 조급한 마음이 들었다.

며칠 후에 내 생각대로 전화가 왔다. 돈이었다. "로렌, 내 생각에는 인쇄기를 둘 장소를 발견한 것 같아요. 1,000명의 젊은이도 수용할 수 있는 집을요."

"정말이야? 정말 잘됐군. 어디에? 창고? 아니면 캠프야?"

"음, 아니에요. 성이에요."

그가 성이라고 할 때 나는 가슴이 철렁했다. 그것은 터무니없는 것이었다. 그러나 그가 팔려고 내놓은 그 성에 대해 이야기했을 때 나는 성이 우리를 위한 것인 줄 알았다. 돈이 전화를 끊은 후에 나는 우리가 그 성을 사야할지 말아야할지를 위해 기도했고, 이 장소가 단지 올림픽 전도 여행을 위한 장소일 뿐만 아니라 오래도록 독일 지부를 위한 것이라는 더 큰 비전을 보기 시작했다. 시간이 흐를수록 내 속에는 조용한 '예스'라는 확인의 음성이 점점 더 크게 들려왔다.

며칠 후에 나는 돈 스티븐스가 있는 뮌헨으로 가서 그와 함께 그 성을 보러 갔다. 우리는 도시에서 1시간쯤 떨어진 곳의 평평한 농장 시어을 시나 올라흐 마을로 향해 날려갔다. 습뜬 시골길로 들어서서 가 보니 그 성이 지평선 위에 거인처럼 우뚝 서 있었다. 우리의 성! 양파 모양이 둥근 지붕과 함께 2개의 쌍둥이 탑이 있었다. 우리는 문들을 지나서 원형의 드라이브 길을 돌아 크고, 화려하게 조각된 문 앞에 차를 세웠다. 그리고 6층짜리 성과 근접해 있는 낮은 건물들을 올려다 보았다.

"굉장하군." 나는 돈에게 속삭였다.

우리는 초인종을 눌렀다. 그러자 관리인이 나오더니 우리를 건물 안으로 안내했다. 지하실에서부터 지붕밑 다락방까지 모든 것이 아직 사용되지 않은 채였다. 16세기에 지어진 것인데 현재 이 성을 소유하고 있는 어린이 사회 봉사 단체에서 우리들에게 팔려고 하는 액수의 2배를 들여 최근에 이 건물을 현대식으로 개조했다.

300명을 수용할 수 있는 충분한 방과 화장실 시설이 있었다. 여러 종류의 다락방과 2,000평 정도의 마당을 보니 임시로 수백 명을 더 수용할 수 있을 것 같았다.

"우리는 차고가 필요하다고 했었는데 그것도 저기에 있어요." 돈이 웃으면서 말했다. "그것은 성에 딸려 있는 것이에요!" 우리는 부속 건물에 있는 차고를 보기 위해 그 곳으로 신나게 걸어갔다. ─우리 하이델베르그 인쇄기를 놓기에 충분했다.

"그리고 저 뒤쪽에다가는 대규모의 훈련 시간을 위해 텐트를 칠 수 있을 거야."라고 나는 말했다.

우리는 독일어 통역자와 함께 뮌헨으로 돌아와서 성의 소유주와 만나기로 한 장소로 가 하나님께서 내게 주셨다고 느끼는 구체적인 액수를 제시하며 계약에 들어갔다. 우리는 1주일 안에 계약금을 치르는 데 동의했다. 그리고 8월말까지 잔액을 치르기로 했다. 잔금을 치르는 기간은 우리가 올림픽 전도 여행중에 있을 때였다.

우리는 몇 분 후에 성 열쇠를 가지고 나왔다. 너무 쉽게 일이 풀려 갔다. 일 주일 안에 계약금이 유럽의 크리스천 친구들로부터 왔다. 우리의 믿음은 점점 강해져 갔다. 며칠 후에 하이델베르그 인쇄기가 우리의 성 홀라흐로 운송되어 왔다. 인쇄공들은 복음 전도지를 독어, 영어, 불어로 찍어내기 시작했다.

처음에는 그 아이디어가 하나님께로부터 온 것이 아닌 것처럼 보였다. 올림픽 경기가 시작되기 4개월 전인 1972년 3월 돈이 성으로 옮겨간 지 얼마 지나진 않아 그 일이 생겼다. 나는 한 번 더 태평양을 중심으로 한 바퀴 돌면서 뮌헨에서 있을 3주간의 전도 여행에 참석하도록 권유하고 다녔다. 내가 각 나라를 돌며 여행할 때 나는 정말 하나님께서 다음에 무엇을 하실지 전혀 예측할 수가 없었다. 그 이유는 그의 말씀이 올림픽 전도 여행과는 전혀 상관이 없는 것이었기 때문이었다. 하나님께서는 먼 장래에 일어날 일을 위해 우리를 준비시키고 계셨다.

나는 서울에서 홍콩으로 가는 비행기 안에 있었는데 스튜어디스가 방금 나의 점심 식사 쟁반을 치워 갔다. 비행기는 황해(黃海)에서 남쪽을 향해 날고 있었다. 타원형 비행기 창문을 가리는 차양을 들어 올리고 내다보니 멀리 중국땅이 보였다. 우리는 중국의 상해 가까운 곳을 날고 있는 것 같았다. 저기 멀리 뽀얗게 보이는 안개 속 어딘가에 상해가 있을 것이다.

갑자기 하나님의 음성이 내 생각을 가로질러 들려왔다. "배를 사도록 하라."

나는 깜짝 놀랐다. "정말 당신입니까, 하나님?" 이것이 자동적인 질문이었다. 바하마에서 클레오 태풍을 경험한 이래로 나는 우리가 사역하는 데 있어서 2가지 면을 담당해야 한다고 깨달아 왔다. —하나님을 사랑하고 사람들을 돕는 것이다. 그러한 생각이 나를 압도했다. 나는 쉽게 배에 수반되는 문제, 즉 국제 항해법을 잘 아는 숙련된 선원들을 찾는 일이나 구세 사역을 하는 배를 빚 안지고 운항하며, 필요한 양식을 조달하기 위해서는 막대한 돈이 필요하다는 것을 상상할 수 있었다.

"하나님, 만일 당신이 지금이 시작할 때라고 말씀하시는 것이라면 확신할 수 있도록 도와주십시오. 이렇게 큰 일을 맡는다는 것은 우리에게 아주 큰 대가를 요하는 것입니다."

나는 그 대가가 얼마나 클지 전혀 짐작할 수 없었다.

몇 주 후에 나는 뉴질랜드의 젊은이들에게 뮌헨 전도여행에 관해 설명을 막 끝냈다. 나는 푸르고, 띄엄띄엄 양들이 있는 이 사랑스러운 산지의 나라에 다시 왔다는 것이 무척 즐거웠다. 여기서 나는 그렇게 많은 하나님의 원리원칙들(하시는 일의 방법)에 대해 배웠다. 나는 칼라피 모알라와 짐과 조이 도우슨 그리고 나와 가까운 사람들을 만났다. 이제 우리도 YWAM을 위해 핵심이 되는 좋은 지도자들을 가졌다. 나는 이들에게 바하마 섬에서의 경험과 그리고 상해 상공을 날던 비행기에서의 경험에 대해 얘기했다. 우리는 '하나님께서 우리를 '배'의 사역으로 인도하시는가?'에 대해 기도하기로 했다.

우리는 여섯이 모여서 기도하고 있었다. "주님, 우리는 당신의 도움이 필요합니다. 꼭 적합한 사람들을 모은다는 것이 얼마나 어려울 것인지 당신이 아십니다. …" 누군가가 그렇게 기도하고 있었다. 갑자기 문을 두드리는 소리가 났다. 나는 방해를 받는 것에 약간 화가 났다. 내가 누구인지 보려고 문을 열었을 때 햇볕에 그을린 30대의 남자가 거기 서 있었다.

"무슨 일인가요, 선생님?" 내가 돌아오기를 기다리고 있는 친구들을 어깨 너머로 바라보면서 내가 물었다.

그 남자는 그가 우리에게 방해가 되었다는 것을 눈치챘는지 불쑥 이렇게 물었다. "왜 하나님께서는 자격이 없는 사람을 선교에 부르시는 걸까요?"

이상한 질문이었다. 그러나 내 마음 속의 무엇인가가 주의해서 들으라고 나를 일깨워주는 것 같았다.

"들어오시겠어요?" 나는 문을 활짝 열었다. "자격이 없다는 말씀은 무슨 뜻인가요?"

"제가, 제 말은…." 그 남자는 방안으로 약간 주저하면서 들어서는 말했다. "내가 아는 것이라고는 바다에 관한 것뿐이에요. 나는 오랫동안 일등항해사와 선장으로 지냈어요. 그런데 나는 하나님께서 나를 선교에 부르신다고 믿고 있어요. 어떻게 이것들이 선교와 연관이 되겠어요, 그렇지 않습니까?"

우리는 주님께서 우리에게 그렇게 직접적으로 응답하시는 데 정말 놀랄 수밖에 없었다. 그 항해사는 우리가 금방 일거리를 제공할 수 없는데도 당장 일하기를 원한다고 했다. 뿐만 아니라 그는 우리가 인도하심을 구하고 있을 때 방문을 해서 우리를 아주 흥분시켰다. 물론 우리가 먼저 해야 할 사역은 뮌헨 전도 여행이지만 하나님께서는 내일을 위해 행진하라는 명령을 우리에게 주셨다는 것을 알았다.

나는 집으로 향했다. 달린에게 그 동안 일어났었던 일을 들려주고 싶어 견딜 수가 없었고 뮌헨 전도 여행에도 날짜를 맞추고 싶었다. 나는 칼라피와 타푸 그리고 그들의 두 딸을 보러 갈 시간이 없었다. 그들에겐 25명의 스탭이 있었다. 나는 칼라피가 틀림없이 잘하고 있으리라고 확신했다.

달린과 나, 그리고 4개월, 18개월된 두 아이들과 함께 우리는 뮌헨을 떠나 고속도로로 접어 들었다. 평평한 농지를 지나 성으로 향했다. 이제 일주일만 있으면 수백 명의 젊은이들이 문자 그대로 모든 대륙에서 이 마을로 몰려 올 것이다. 반은 오두막 조그만 집으로 이루어진 이 조용한 마을, 아주 깨끗한 천주교 성당, 그리고 얼마 안되는 가게들은 3주 동안 바쁘고 흥분된 시간을 갖게 될 것이다. 등산백을 멘 젊은이들이 벌써 마을을 지나 걸어가고 있었다. 나는 성 쪽으로 차를 돌리면서 말했다. "달린, 당신은 풀라흐에 사는 주민이 1,000명밖에 안된다는 것을 알고 있었소? 1주일 내에 우리는 인구를 2배로 늘여놓게 될 것이오."

달린은 웃었다. "그래요, 로렌 커닝햄. 당신은 10년 전에 제게 당신 삶의 목표는 1,000명의 젊은이들이 전도하러 나가는 것을 보는 것이라고 하셨죠? 그들이 여기 있어요!"

그것은 재미있긴 했지만 만족스러운 평은 아니었다. 우리는 이제 그것을 훨씬 능가하는 목표를 세워 놓고 있었다. 쌍벽을 이루는 두 사역의 목표가 벌써 잉태 중에 있었다.

나는 반 타원형으로 되어 있는 길로 들어서서 육중한 조각이 되어 있는 정문 앞에 멈추었다. 돈이 우리를 기다리고 있었다. 그가 뛰어나와 우리를 맞아주고, 디온도 2살의 귀여운 금발의 아기와 함께 그 뒤를 따라나왔다. "성 뒤쪽으로 와 보세요, 여러분 ! 깜짝 놀라게 해드릴 게 있어요."

성과 뒤 울타리 사이에 큰 줄무늬 서커스 텐트가 간신히 자리잡고 있었다! 돈은 유럽에 있는 큰 텐트는 벌써 다 빌려가서 큰 텐트를 찾는 것을 거의 포기했었다고 말했다. 그러나 그때 마침 무용 프로그램이 취소되어서 "우리가 이 곳에서 모임을 가질 수 있게 된 거예요."라고 돈이 말했다.

13

뮌헨 : 세계의 축소판

그 주간 안에 1,000명이나 되는 젊은이들이 도착했다. 50개의 다른 교파를 대표하여 52개국에서 모여든 젊은이들이었다. 지미와 제니, 짐과 조이 도우슨도 왔다. 짐은 언제나 봐도 품위가 있었다. 그리고 식설석으로 말하는 소이는 우리 텐트 학교의 성성 교사 중의 한 분이 될 것이다.

3주 동안의 계획은 간단했다. 매일 돈 스티븐스의 지도하에 500명의 젊은이들이 뮌헨의 거리에서 전도하게 되고, 그러는 동안 나머지 500명은 나의 지도하에 성에 남아서 가르침과 기도와 성경읽기 등으로 새롭게 충만함을 받게 될 것이다. 그리고 그 다음날은 팀이 서로 교체해서 일을 하게 될 것이다. 젊은이들은 아침 5시에 일어나 점심을 싸갖고 뮌헨으로 가는 기차를 타고 가게 되고 자정이 되어서야 돌아오게 될 것이다. 우리는 그 도시에서 행진할 수 있기를 원하는데 3주가 끝날 무렵쯤 대규모 음악축제를 열고 싶었다. 우리는 첫날부터 상상도 못할 만큼 지독한 거부 반응을 받았는데 그것은 '무관심'이었다.

우리는 어떤 사람의 파티에 초대받지 않은 손님들 같았다. 뮌헨은 축제 분위기였다. 사람들에게 심각한 얘기를 하려고 시도하는 것은 축제를 방해하는 것 같은 힘든 과제였다. 스포츠는 커다란 우상이었다. ―세계가 그 발 앞에 무릎을 꿇었다. 운동 경기의 경쟁이 평화와 인류애에 대한 해답처럼 보였다. 사고없이 잘 진행되는 올림픽 경기를 세계에 보여주기 위해 고심하고 있는 독일 당국은 우리가 계획한 행진을 금지했다. 그들은 우리의 음악 프로그램을 뮌헨 시 밖에서만 하도록 허락했다.

그래서 우리는 임시변통을 해야 했다. 우리는 조그만 그룹으로 나뉘어서, 어떤 그룹은 학교 교정으로 들어가고 어떤 그룹은 젊은 공산주의자들과 거리에 흩어져 있는 군중들에게로 또한 도시 전역과 경기장으로, 나머지는 즉석 집회를 개최하기도 했다. 운동 선수촌에서는 우리 젊은이들이 철의 장막 뒤에서 온 운동 선수들과 얘기하기도 했다. 우리는 좀더 얘기하기를 원하는 사람을 발견했을 때에는 커피 하우스로 개조한 큰 상점으로 그들을 데리고 갔다. 거기서 우리는 예수님에 관해 얘기했다.

우리는 조금씩 좋은 결과를 얻기는 했지만 여전히 어려운 상황이었다. 우리는 벌써 2주 동안 그 일을 계속하고 있지만 이러한 재미나 보고 경쟁이나 하려는 분위기 속에서의 가장 큰 문제는 나와 상관없다는 태도의 무관심이었다. 이 모든 것의 변화는 스포츠를 통한 세계 인류애의 우상이 깨어지고 무너졌을 때에야 가능했다.

9월 5일 화요일 아침, 우리의 모임 장소인 큰 줄무늬 텐트 안에서 내가 설교하고 있을 때 뒷자리가 술렁거리는 것을 느꼈다. 귓속말로 전해지는 소리가 앞 자리로 전해왔다. 그러면서 그들의 얼굴은 걱정으로 어두워졌다. 마침내 작업복 차림의 청년 하나가 더러운 통로를 헤치고 나와 내게 쪽지를 건네주었다. 나는 그 쪽지를 읽으면서도 믿을 수가 없었다. 아랍 테러 분자들이 선수촌을 부수고 들어가 2명의 이스라엘 선수를 죽이고 9명을 인질로 잡고 있었다. 나는 젊은이들에게 이 소식을 알리고 함께 기도하기 시작했다.

우리는 우리의 모임을 중지하고 조그만 그룹으로 나누어 어떤 방법으로라도 이 비극을 변화시켜 선을 이루시도록 하나님께 기도했다.

우리가 나중에 안 일이지만 돈과 같이 도시에 있던 500명의 Y-WAMer들도 그들이 있던 곳에서 같이 기도하고 있었다. 그들은 둥 그렇게 모여 조용히 무릎을 꿇고, 테러 분자들이 선수들을 인질로 잡고 있는 곳, 경찰이 교통을 차단한 지역으로부터 1마일 떨어진 곳에서 기도하고 있었다. 또 다른 YWAMer들은 뮌헨 중심가의 보도에서 무릎을 꿇고 기도했다. 또 어떤 이들은 우리 커피 하우스에서 무릎 꿇고 기도했다. 그리고 우리는 세상의 다른 사람들과 함께 숨을 죽이고 기다렸다. 곧 난폭한 폭발 사건이 있은 후 9명이나 더 되는 이스라엘인과 5명의 아랍인 그리고 한 명의 독일인이 살상되는 것으로 끝이 났다.

올림픽 축제는 하룻밤 사이에 장례식으로 변했다. 거리에서 떼지이 몰려 다니던 사람들은 갑자기 길을 잃었나. 갑자기 우리 젊은이들이 그들에게 받아들여지기 시작했다. 왜냐하면 우리는 희망의 사자로 뮌헨에 있었기 때문이었다. 우리는 우는 자와 함께 울면서 예수 그리스도께서 이와 같은 비극에 대한 대답을 갖고 계신 분이라고 그들을 납득시켰다. 그들의 마음이 열렸다. 테러 분자가 소동을 일으킨 바로 그날, 젊은 이스라엘 YWAM 소녀는 아랍 모슬렘 교도 한 명을 그녀의 구세주께로 인도했다.

달린과 나는 더 이상 그 시골에 머물고 있을 수만은 없었다. 우리는 남아 있던 젊은이들과 같이 뮌헨으로 가야했다. 우리는 올림픽 경기장 오락 장소에서 그룹을 지어 하나님께 우리의 마음을 모으고 찬송하면서 서 있었다. 사람들이 하나하나 원형극장을 채우기 시작하여 조용히 우리의 찬양을 들었다. 우리가 끝날 때쯤 되어서 한 아름다운 20대 독일 아가씨가 우리에게로 다가와 물었다. "당신들은 예수믿는 사람들인가요?" 달린과 내가 동시에 대답했다. "네." 그때 우리는 이 소녀가 예수님을 알기를 간절히 원한다는 것을 알 수 있었다.

"저는 예수의 사람은 아니지만 그렇게 되기를 원해요." 우리는 그녀를 커피 하우스로 데리고 가서 돈에게 소개시켜 주었다. 돈은 독일어에 능숙했다. 그는 그녀와 얘기할 때 그녀가 유럽을 헤매며 삶의 의미를 찾으려고 노력했다는 것을 알았다. 그녀는 그날밤 삶의 의미를 발견했다. 그녀는 팔을 흔들며 말했다. "이제 나는 예수님을 알아요. 나도 예수의 사람이에요!"

이스라엘 선수들에게 비극이 일어난 후에 시 당국자들은 우리들에 대하여 마음을 돌이켰다. 그 중 한 경찰관은 돈에게 말하기를 "당신네 크리스천들이 한 일은 지난 3주 동안 이 곳에서 일어났던 모든 일들 중에 유일하게 좋은 것이었소." 그들은 이제 우리가 행진하도록 허락해 주고, 우리에게 그 도시 정원에서 꺾은 수천 개의 꽃을 주면서, 우리가 도시 중심가를 지날 때 나눠주라고 했다. 1,000명이나 되는 사람들이 하나가 되어, 죽어간 사람들에 대한 동정심을 가지고 걸었다. 우리는 성의 차고에 있는 하이델베르그 인쇄기로 만 장 정도의 신문을 찍어냈다. 사람들은 신문을 우리 손으로 나누어 줄 새도 없이 집어갔다.

신문에는 아랍 YWAMer들과 유대 YWAMer가 같이 팔짱을 끼고 나란히 서서 찍은 사진과 함께 세계 인류애를 유지하는 유일한 답은 예수 그리스도뿐이란 것을 전파하는 특종 기사가 실려 있었다.

3주간의 올림픽이 끝났다. 뮌헨은 결코 잊지 못할 비극의 장으로 막을 내렸다. 3주의 시간이 우리에게도 끝이 났다. 그 기간은 사람들에게 슬픔에 참여하는 기회도 만들어 주었지만 그 3주간은 새로운 시작을 만들어 주는 기간이기도 했다. 풍성한 헌금으로 인해 우리는 성의 대금을 치를 수 있게 되었고 우리는 이제 독일에 조금 더 영구적인 닻을 내릴 수 있는 장소를 갖게 되었다는 것을 인식했다. 우리가 그 큰 줄무늬 텐트를 걷기 전에 헌금하는 시간을 갖게 되었다. 각자의 나름 계획에 따라 헌금통 안에다 헌금을 넣는 사람도 있었고 헌금을 받게 된 사람도 있었다. 그 중의 많은 젊은이들이 비행기 값이 필요했다. 왜냐하면 그들은 세계에 걸쳐 있는 20여 개의 YWAM 지부 중 하나로 가서 계속해서 YWAM과 일하기로 결정했기 때문이었다. 또 다른 이들도 로잔 학교 이후에 생긴 3개의 학교중의 한 곳으로 가기로 결정했다. 거의 모든 경우에 추가경비가 들었다. 우리는 그들에게 부모님이나 교회들과 계속해서 연락을 하도록 강조했기 때문에 학생들은 자기들의 새로운 계획에 대해 부모님과 상의하느라고 대서양과 태평양을 건너 이루어지는 장거리 전화를 써야 했다.

올림픽이 끝남으로 인해 나의 관심도 다른 곳으로 옮겨가게 되었다. 다음으로 특별한 인도하심이 필요한 분야는 배에 관한 것이었다. 나는 왠지 배가 어떤 모습일 것이라는 상상이 갔다. 길이는 약 500피트 가량이고, 몇백 명이 숙박할 수 있으며, 배 안에서 운영되는 학교의 캠퍼스도 필요하고, 가난한 이들에게 물건도 운반해 줄 수 있는 큰 화물선이어야 했다. 우리는 의료진도 태우고, 수백 명의 젊은이들이 항구마다 내려서 복된 소식을 전하기도 할 것이다. 우리는 배를 하얀색으로 칠해서 하나님의 순결하심을 상징하게 될 것이다. 사람들이 뉴질랜드에서 팔려고 내놓은 '마오리'라는 이름의 국내선 선박에 관해 세 번째로 이야기할 때에야 비로소 나는 그 배에 관심을 두기 시작했다.

하나님께서 배를 구입하도록 추구할 때라고 말씀하신 지 13개월만인 1973년 4월에 나는 마오리를 조사하기 위해 뉴질랜드로 향했다. 우리는 벌써 선장과 다른 자격 있는 선원들을 발견했고 그들은 현재 로잔 학교에서 훈련을 받고 있는 중이었다. 웰링턴으로 가는 배행기는 마지막으로 항구 위를 낮게 날아갔다. 언덕이 많은 도시가 만으로 둘러싸여 꼭 샌프란시스코 같이 보였다.

그때 나는 눈밑으로 내려다 보이는 배를 보았다. 그 배는 틀림없이 마오리일 것이다. 그 배는 친구들이 묘사했던 그대로였다. 하얀 갑판 위에 주황과 푸른색의 굴뚝 그리고 450피트 가량의 검은 배였다. 그 배는 웰링턴의 언덕 아래에 늠름히 떠 있었다. 나는 확신을 가지고 생각했다. '나는 지금 하나님께로부터 온 우리의 운명과도 같은 것을 내려다보고 있다!'

연합 기선 회사에서 온 대표와 뉴질랜드 YWAM의 지도자 중의 한 사람이 나와 함께 있었다. 우리는 마오리로 연결되는 건널판을 건너가고 있었다. 정말 좋은 배였다. 위에 3개의 갑판, 아래 2개, 920명이 잘 수 있고, 120개의 운송 차량이나 수톤의 화물을 실을 수 있는 큰 자동차 갑판도 있었다. 식당과 라운지와 조그만 병원도 있었다. 두 번 다시 생각할 필요도 없이 나는 우리가 그렇게 기다리던 배가 이거라고 생각했다. 마오리가 떠 있는 곳에서 우리가 차를 타고 나올 때 의자에 앉아서 그 배가 정박되어 있는 모습을 자랑스럽게 지켜보았다.

우리는 여러 면에서 그 일을 추진하라는 신호와도 같은 것을 받았었으므로 우리가 하나님의 음성을 들으려고 할 때 범할 수 있는 가장 비참한 실수 가운데로 한 걸음 내딛고 있다는 것에 대해 눈꼽만치도 알아차리지 못했다. 역설적으로 들리지만 그것은 당장은 모든 것이 정말 잘 진행되는 것 같아 보이는 인도하심을 받고 있는 모험에 있어서 후반부에 저지르게 되는 실수였다.

14
어두운 그늘에
묵묵히 서 계시던 분

나는 돈에 대해 관심이 있는 것이 정말 아니었다. 달린과 나, 그리고 5살된 캐런과 2살된 데이비드는 여전히 로잔 학교 별관에서 4개의 방을 쓰면서 살고 있었다. 나는 하나님께서 어떻게 돈을 주실 것인가에 큰 관심이 있었다. 하나님께서는 나오리 호를 사도록 급작스럽게 인도하시는 것 같이 보였으므로 배를 직접 본 지 4개월 후에 나는 나의 행정 비서인 월리 웬지를 그 배 문제로 연합 기선 회사와 교섭하도록 뉴질랜드로 보냈다. 우리는 72,000달러의 계약금을 1973년 9월 4일까지 주기로 하고 잔액은 30일 내에 갚기로 했다.

우리는 당장에 용기를 얻었다. 영국의 한 사업가가 내게 전화해서 말하기를 하나님께서 YWAM을 위하여 무엇인가 자기에게 하라고 말씀하셨다고 했다. 그가 보낸 돈의 액수는 우리의 계약금보다 많은 액수였다. 월리 웬지가 하나님께서 마오리를 사라고 그들에게 말씀하셨다고 말하고 있는 어떤 젊은 선교사들에 대한 기사가 뉴질랜드 신문에 났다고 알려왔다. 그 배는 뉴질랜드에서 아주 오랫동안 사용되어 온 배였기 때문에 항해자들에게 있어서는 하나의 의미있는 무엇이 되어 있었다.

사람들의 관심이 우리에 대한 이 기사에 집중되어 있었다. 그리고 곧 그 나라의 모든 사람들이 우리가 마오리를 살 계획이 있다는 것을 알게 되었다.

우리는 확신이 있었다. 우리가 과거에 보아왔던 성공을 생각해보면 우리가 갖는 확신은 당연한 듯이 보였다. 우리는 언론 기관에 하나님께서 그분의 백성에게 말씀하실 뿐 아니라 또한 필요한 모든 것을 공급하시는 분이라는 것을 강조하는 발언을 덧붙였다. 신문사에서는 그런 발언을 몹시 좋아했다. 신문의 한 머릿기사에 "젊은이들이 말하기를 '하나님께서 우리에게 배를 주실 것이다'라고 선포했다"라고 보도되었다. 우리는 잔금을 치르게 되어 있는 30일의 기간만 지나면 그 배가 뉴질랜드에서부터 캘리포니아로 항해할 것이라고 선포했다. 그 배는 2달 후인 10월 중순에 그 곳에 도착할 것이다. 나는 신이 나서 공중에 떠다니는 기분이었다. 그렇지 않을 이유가 없었다. 매일 우리는 새로운 문이 우리들 앞에 조금씩 열리는 것을 보았다. 선교 자원자가 늘어난다던가 아니면 돈이나 특별 헌금이 들어 오고 있었다. 어느 페인트 회사에서는 마오리 호 전체를 하얀색으로 칠하는 데 드는 페인트를 기부하기로 약속했다. 또 퀸 엘리자베드 2호의 실내장식 담당자는 무료로 우리 배를 장식해 주겠다고 지원했다. 어떤 농부들은 가난한 사람들에게 나눠줄 곡식과 고기를 기부하기로 약속했다. 가장 중요했던 것은 마닐라의 한 사업가가 배의 잔금을 헌금하기로 약속한 것이었다. 그가 할 일이라고는 필리핀으로부터 그 돈을 가지고 나오는 일뿐이었다. 모든 일이 아주 급속도로 진행되고 있었다.

날마다 새로 일어나는 일들을 단순히 관리하는 것만으로도 나는 정신이 없을 지경이었다. 어느 날 나는 일의 진행을 좀 늦추어야 할 필요를 느꼈다. 사실 나에게는 기도하고 금식하면서 하나님과 홀로 지내는 일주일이 필요했다. 그 주간에 모든 것이 뒤바뀌었다.

나는 조용히 앉아서 히브리서의 말씀을 펼쳐 놓은 채로 기도하고 있었다. 갑자기 12장 26절, 27절 말씀이 그 장에서 튀어나오듯이 내 눈에 들어왔다. "진동치 아니하는 것을 영존케 하기 위하여…내가 또 한번 땅만 아니라 하늘도 진동하리라"

큰 바위 덩어리로 내 명치 끝을 탁 치는 것 같았다. "오, 안돼! 설마 이 말씀이 배에 관한 것을 뜻하는 것은 아니겠지!"

다음날, 적지않게 걱정을 하면서 나는 캘리포니아 사무실로 전화를 걸었다. 그 사무실에는 짐 도우슨이 그외 조이가 우리와 함께 전임으로 일을 시작한 이래로 행정을 맡아보고 있었다.

"오늘 배를 위해서 들어온 것이 있습니까?" 나는 물었다.

"하나도 없어요, 로렌." 짐 도우슨이 이상하다는 듯 말했다.

"그 마닐라 사업가가 아직 필리핀에서 돈을 갖고 나오지 못했나요?"

필리핀으로부터 아무 소식이 없었다. 정말 이상했다. 우리 모두는 당연히 모든 일이 잘 진행되리라고 생각했다. 나는 당황했다. 히브리서에 있는 그 말씀에는 정말 강력한 힘이 있었다. 아마도 그 말씀이 배에 관한 말씀이었는지도 모른다!

그 주간의 나머지 날 동안 기도하면서 나는 이 분명한 경고의 말씀을 가지고 씨름했지만 아무것도 명백해지지 않았다. 아마 내가 다음 주일 오오사카에서 93명의 YWAM 지도자들과 만나게 될 때 좀더 알게 될지도 모를 일이었다. 우리는 모두 모여서 함께 기도할 때 하나님의 음성을 분명하게 들었던 경험들이 있었다.

연합 기선 회사에 잔액을 치르기로 한 2주 전에 나는 달린에게 작별 인사를 간단히 한 후 서울을 거쳐 오오사카로 가기 위해 출발했다. 나는 나중에서야 한국을 경유했던 것이 아주 중요한 사실이었다는 것을 알게 되었다. 오오사카를 향해 가면서 나는 1년에 한 번씩 모이는 이 지도자 모임이 얼마나 결정적인 의미가 있는지에 대해 깊이 생각했다. 창설 13년 만에 우리는 15개국에서 온 200명이라는 선교사들을 가진 큰 가족으로 자라났다. 각 나라 안에 개별적인 지부가 있어서 자치적인 조직과 자금으로 운영되고 있었다. 여러 나라에 흩어져서 일하는 우리 YWAM에게는 오오사카에서 열리는 것과 같은 전체 모임이 매우 중요한 의미를 갖는 것이다. 이런 모임을 통해 서로에 대한 관계가 더욱 결속되는 것이다.

만약 하나님께로부터 온 '흔들림'에 관한 성경 구절이 정말 배에 관한 것이라면 나는 더 어려운 상황 가운데에 있게 된다. 나는 내 동료들을 대할 생각에 마음이 움츠러들었다(돈 스티븐스도 거기 올 것이고 짐과 조이 도우슨, 그리고 누이 제니와 그녀의 남편 짐, 또 칼라피와 그의 부인 타푸 그리고 그 외 많은 사람들이 올 것이다). 그들에게 배가 위태로운 상황에 놓여 있다고 말해야 한다는 것이 끔찍했다.

비행기 안에서 나는 아마도 히브리서의 경고의 말씀이 배에 관한 것이 아닐 것이라는 생각이 들기 시작했지만 조금씩 조금씩 배에 대한 확신이 되살아났다. 나는 경유지인 서울에 도착했을 때 뉴질랜드의 월리 웬지에게 전화했다. 그는 무척 긍정적으로 얘기했다. 10개국에서 모여든 10명의 자원자들과 선원들은 배를 청소하고 이물에서 고물까지 닦고 윤을 내느라고 정신이 없다고 했다.

그러나 내 안에 생겼던 확신의 느낌은 그 다음에 일어난 이상한 사건으로 인해 산산히 깨져 버리고 말았다.

다음날 이른 아침에 나는 동양식 요 위에 누워 기도하고 있었다. 3일 후면 나는 회의에 참석하기 위해 오오사카로 날아갈 것이다. 배의 잔금을 치를 날짜도 10일밖에 남지 않았다.

나는 서서히 마음을 가라앉히면서 예수님께로 마음을 모으고 그분께 자신을 순복시키며 주님께 경배드렸다. 나는 성령님께서 내 마음에 말씀하기를 원하시는 것을 다 들을 준비가 되어 있었다.

갑자기 나는 머릿속으로 한 그림을 들여다보고 있었다. 내가 17년 전에 보았던 파도에 관한 그림과 별로 다를 것이 없었다. 그러나 이번에는 가닥이 서늘해지는 비전이었다.

내가 YWAM 지도자들의 무리 앞에 서 있는 것을 보았다. 나는 기쁨에 넘쳐 환호하고 있었다. "우리는 배를 얻었습니다! 하나님께서 마오리를 사기 위한 돈을 주셨습니다.!" 군중들은 크게 환호하며 팔을 흔들고 소리를 질렀다. 그때 갑자기 나는 내 왼편 그늘에 서 있는 사람의 모습을 보았다. 우리 중 아무도 그에게 눈길을 주는 사람이 없었다. 나는 가까이서 그의 얼굴을 들여다 보았다. 그리고 그가 애통해하고 있는 것을 보았다. 그때 갑자기 정신이 번쩍 들었다—그분은 예수님이셨다! 우리는 그분을 무시해오고 있었다! 우리가 배에는 환호를 보내고 박수를 치면서 예수님은 잊고 있었던 것이다!

나는 요 위에 얼굴을 파묻었다. 그 소름끼치는 장면을 지워버릴 수가 없었다. "오, 하나님! 저를 용서해 주세요! 제가 당신이 우리에게 주시는 그 배에만 마음을 다 쏟고 당신 자신은 외면하고 있었습니다. 저는…아니, 우리는 그 배를 소유할 자격이 없습니다! 우리는 주님이 마땅히 받으셔야할 영광을 당신께로부터 빼앗아 한 뭉치의 금속 덩어리에 줄 수 없습니다"

나는 오랫동안 울었다. 그리고 하나님께서 나의 부르짖음을 들으시고 나를 용서해 주셨다고 느꼈다. 그러나 나는 마음가짐이 바뀌어야 할 사람이 나 혼자뿐이 아니라는 사실을 알았다. 나는 월요일 오오사카에서 지도자들에게 이 침울한 메시지를 전해 주어야 할 것이다. 우리는 다른 어떤 것을 생각하기 전에 심각하게 주님과 몇 가지 일을 해야만 했다.

나는 오오사카 공항에 내릴 때 억지로 웃을 수밖에 없었다. 칼라피의 YWAM 사역이 일본에 자리잡고 있었으므로 그와 그의 아내 타푸가 공항에서 나를 맞아주었다. 칼라피는 그의 네모난 얼굴이 약간 살이 찐 것을 제외하고는 변한 게 없었다. "더 통가 귀족같이 보이는데?" 나는 지금 당장에는 슬픔을 보이지 않으려고 노력하면서 말했다. 칼라피의 아내는 그보다 키가 작았다. 예쁘고 검고 부드러운 곱슬 머리에 수줍은 미소를 짓고 있었다. 그들은 부산스럽게 나를 데리고 그들의 차 있는 데로 가면서 그들이 알아놓은 우리 집회 장소가 시골풍의 호스텔이라고 미리 일러주었다. "고급스럽지 못해요" 칼라피가 말했다.

우리는 차를 타고 가면서 그들의 사역에 관한 얘기를 주고 받았다. 칼라피가 내가 예상했던 것보다 쾌활해 보이는 것은 단지 나의 상상 때문일까? 아마 시간이 많이 흐른 탓이겠지. …6년 전 뉴질랜드에서 내가 그를 처음 만났을 때 그는 홀쭉한 19세 소년이었다. 칼라피는 나의 질문에 대답하며 대학생들에 대한 그들의 사역에 관해 내게 열심히 얘기했다. 나는 처음에 느꼈던 인상 따위를 지워버렸다.

칼라피는 오오사카 근교의 오쑤시에 있는 2층짜리 검소한 호텔 앞에 차를 주차시켰다. 우리가 반들반들한 타일이 깔린 복도로 들어갈 때 나의 YWAM 친구들이 뛰어나와 나를 맞아주었다. 모든 사람의 사기는 고조되어 있었다. 나는 조용히 나의 어두운 비밀을 마음에 묻어두었다.

일에 능숙한 일본인 가정부 아주머니가 딱딱한 플라스틱 슬리퍼와 수건과 시트를 갖다 주었다. 나는 그것들을 받아들고는 돌계단을 올라 내 방으로 왔다. 나는 침대 위에 시트를 아무렇게나 던져놓고 그 위에 누웠다. 나는 오늘 오후에 있을 첫 모임이 반갑게 기다려지지가 않았다.

2층의 회의실에는 의자가 세 줄씩 반원형 형태로 놓여 있었다. 우리는 자리에 앉기 시작했다. 나는 나무 장식도 없이 휑한 방을 둘러보며 '우리의 주위를 분산시킬 만한 것은 별로 없구나'라고 생각했다.

나는 일어서서 앉아 있는 YWAM 지도자들을 둘러보았다. 배에 관한 최근의 소식을 듣기 원하는 기대감으로 가득 찬 모든 시선들이 내게 못박히듯이 집중되었다.

그러나 나는 그 대신 하나님께서 내게 보여주신 환상—우리가 한 뭉치의 금속 덩어리에게 찬사를 보내고 있을 때 어두운 그늘에서 슬퍼하고 계시는 예수님—에 대해 얘기했다.

그것은 정말 간단한 이야기였다. 하나님께서 우리에게 배를 구입하라고 하셨다. 그리고 계속해서 하나님께서는 하나님의 음성을 듣는 데 있어서 우리가 배운 모든 방법을 통하여 그가 인도하신다는 것을 확인해 주셨다. 하나님께서는 동방박사의 원칙을 사용하셨다. 또한 하나님께서는 우리를 위해 성경 구절을 뽑아주시듯이 말씀을 통해 하나님의 뜻을 알려주셨고 돈과 필요한 사람들을 보내주심으로 마음 속에 강한 확신을 갖도록 해주셨다. 그러나 우리는 그의 인도하심을 빌고 일을 수행하는 그 과정에서 실패한 것이다. 우리는 교묘하게도 선물 주시는 그분은 외면하고 선물 그 자체에만 마음을 두고 있었던 것이다.

모든 사람의 반응은 즉각적이었고, 일치된 것이었다…내가 서울의 동양식 요 위에서 나타냈던 반응과 같은 반응들을 보였다. 어떤 이들은 무릎을 꿇고, 어떤 이들은 얼굴을 땅에 대고 엎드려 있었고, 어떤 이들은 울기 시작했다. 곧 우리는 통곡하기 시작했다. 강한 남자고, 여자고 할 것 없이 모두 다 울었다.

6일간은 우리가 배를 소유했기 때문에 그것을 축하하려고 모인 것이 아니라 우리 삶의 어느 분야에서든지 하나님께 우선권을 두지 못했거나 하나님의 영광을 가로챘던 것에 대해 고백하고 회개하려고 모인 기간이었다. 죄를 고백하는 날이 거듭 되었다. 칼라피가 일어나서 고백하였다. 그는 심상치 않은 표정으로 일어서서 그의 결혼생활에 문제가 있다는 것을 간단하게 언급했다. 칼라피는 자세히 설명하지 않았지만 어쩐지 무거움이 느껴졌다. 내가 그를 도울 수 있을까 해서 그와 홀로 만날 기회를 가지려 했지만 그런 시간을 갖지 못했다. 매일 우리는 그 횅한 모임 장소에 모여 죄책감의 무거운 느낌이 해결되기를 기대했다. 매일 우리는 정결하게 되어야 할 새로운 면들이 우리 안에 있음을 발견했다. 하나님의 경이로운 거룩함에 대한 고통스러운 인식이 큰 방안을 휩쓸었다. 우리 전체를 사로잡고 있던 공통적인 결점이 무엇인가를 차차 느끼기 시작했다. 가장 큰 결점은 교만이었다. 우리는 Youth With A Mission이 하나님의 '가장 사랑하시는 도구'이며 우리는 '가장 영적인' 선교 단체이며 또한 우리가 다른 사람들보다 '믿음에 관해 더 많이' 배워왔고, 우리가 하나님의 역사를 이루어 드리는 특별한 방법들을 갖고 있다고 생각해 왔던 것이다. 우리는 우리 마음 밑바닥에 무엇이 있는가를 보았고, 그것은 메스꺼울 정도로 더러운 것이었다. 나는 처음으로 심판 날에 하나님 앞에 서는 것이 어떤 것이라는 것을 희미하게나마 알 것 같았다.

우리가 할 수 있는 일이라고는 하나님의 긍휼하심 앞에 우리 자신을 던지는 것 외에 아무 것도 없었다. 7일째 되는 날, 우리가 부드럽게 찬송을 부르고 있을 때 갑자기 특별하고도 깊은 고요함이 우리들 가운데 자리 잡았다. 성령에 의한 어떤 직관으로 우리는 예수님께서 오오사카 근교의 호텔 2층의 초라한 회의실로 들어오셨다는 것을 알았다. 그는 우리의 모든 정죄감을 벗겨주셨다. 우리는 이제 용서받아 깨끗하게 된 것이다.

하나님께 감사드리고 기뻐하는 시간을 가진 후에 나는 하나님께서 배에 관해 무엇인가 말씀하실 것 같은 생각이 들었다. 그러나 그 일은 일어나지 않았다. 나는 무엇을 해야할지 몰랐다. 오직 내가 기대를 거는 것은 우리가 때를 맞추어 회개를 한 것이기를 바랐고, 어찌되었든 이제는 우선권을 올바로 정하여 도구로부터 우리의 눈을 돌려 하나님을 향하여 바라보면 하나님께서 이 상황을 고치시고 여전히 우리에게 배를 주시기 바랄 뿐이있다.

그러나 우리에게 그러한 상황의 변화는 일어나지 않았다. 마오리를 위해 잔금을 치르어야 할 날짜가 닥쳐왔다. 나는 뉴질랜드에 있는 월리에게 전화해서 일본에서 어떤 일들이 일어났었는지 얘기해 주었다. 물론, 그도 우리처럼 어리둥절해했다. 나는 월리에게 연합기선 회사로부터 날짜를 연기받을 수 있는지 물어보라고 부탁했다. 월리는 그들이 4주를 연기해 주었다고 전해왔다. 그러나 배를 수리하던 승무원들은 하던 일을 그만두고 배에서 내려와야 한다는 것이었다 그들 중 거의 반이 집으로 돌아가고 60명 정도만 남아서 웰링턴의 기독교인이 제공해준 숙소에서 머물 것이라고 했다.

"대부 받는 것은 어떻게 생각하세요, 로렌?" 월리는 주저하며 물어왔다. "배를 사도록 세 사람이 돈을 빌려주겠다고 제의해 왔어요." 그의 목소리는 확신에 찬 소리가 아니었고 우리 둘 다 이번에 돈을 대부 받는 것이 올바른 일이 아닌 줄 알고 있었다.

우리는 맥이 빠진 상태로 친구들에게 안녕을 고하고 오오사카를 떠나 세계 각지에 흩어져 있는 각자의 지부로 돌아갔다. 나는 달린이 있는 곳으로 갔다. 달린은 비행기로 스위스에서 캘리포니아로 돌아와 일의 새로운 전개에 대해서 우리만큼이나 놀란 상태로 나를 기다리고 있었다. 그녀와 나는 마오리가 캘리포니아로 들어올 때 그 배를 맞기로 기대했었다.

이제 미국으로 돌아온 달린과 나는 오랜 시간 동안 기도에 전념하고 있었다. "주님, 정말 당신께서 이렇게 하신 것입니까?" 나는 거듭해서 이 질문을 하고 있었다. 왜 주님께서 우리 배의 사역에 대한 상황을 고치시지 않는 것일까? 아마도 하나님께서는 다시 연기 받은 마감 날짜인 11월 2일이 되기 전 3주 동안 어떤 일을 하실지도 모른다는 생각이 들었다. "우리를 도와주세요. 사랑하는 주님, 당신이 무슨 일을 하고 계신지 이해할 수 있도록 우리를 도와주세요." 달린이 기도했다.

적어도 달린의 기도는 응답되었다. 그 통찰력은 오오사카 회의에 참석했던 조이 도우슨이 며칠 후에 내게 전화하는 것을 통하여 왔다.

"로렌, 나는 나사로에 관한 이야기를 방금 읽었어요. 예수께서 나사로를 '고치지 않기'로 결정한 그 부분인데요. 그분은 그의 친구가 죽을 때까지 기다렸어요. 그리고는 그를 '부활'시켰어요. 이 경우에 있어서 부활은 고쳐주시는 것보다 더 큰 영광을 하나님께 돌렸어요."

나는 숨이 막힐 것 같았다. "로렌, 저는 하나님께서 이 말씀을 바로 지금 YWAM에게 하신다고 믿었어요. 그가 우리에게 선택할 수 있는 기회를 주시는 거예요. 우리는 배에 관한 일에 대해 고침만 받을 수도 있어요. 그렇지만 만일 우리가 부활을 선택한다면 하나님께 더 큰 영광을 돌리게 될 거예요. 정말 어려운 일은 우리의 배에 대한 비전이 죽을 때 바로 우리 안에 있는 '명성'도 함께 죽어야 한다는 거예요. YWAM에서 작은 역할을 담당하고 있는 저로서는 후자를 택하고 싶어요."

조이가 진실을 말하고 있다는 확신이 모든 다른 생각을 차단시켰다. 나는 그 선택의 여지가 지금 내 앞에 놓여 있다는 것을 알았다. 전화를 끊고난 후 나는 확인하기 위해 나 혼자 기도했다. 그러나 조이 도우슨이 말한 그 진리는 내 마음 속에서 점점 더 강한 확신으로 자라갔다. 하나님께서는 우리에게 우리의 꿈이 죽도록 허락하심으로 말미암아 그 꿈을 친히 부활시키셔서 하나님께 더 큰 영광을 돌릴 기회를 주고 계시는 것이다.

먼저 마오리에 대한 우리의 계획이 죽어야만 했다. 정말 완전히 죽어야 한다. 그리고 우리도 그 계획과 함께 죽어져야만 한다. 뉴질랜드 신문에 우리에 관해 실린 모든 기사를 기억하면서, 특히 하나님께서 우리에게 배를 주실 것이라고 단호하게 잘라 말했던 시간들을 기억했다. 나는 뉴질랜드에 있는 사람들과 무엇인가 올바로 해결해야 할 것이 있다고 느꼈다. 하나님을 신뢰하는 이들의 믿음이 흔들릴지도 몰랐다. 아마도 사람들은 하나님께서 말씀하시고 그리고 그에 따라 필요한 것을 공급해 주시는 데 대해 쉽게 의심할지도 몰랐다.

나는 앉아서 뉴질랜드의 신문사로 편지를 띄웠다. 편지는 인쇄가 되었다. 하나님께서 어떻게 우리가 배를 사도록 인도하셨으며, 그러나 '우리'가 하나님보다 배에다 더 큰 영광을 돌림으로 실패한 것에 대해 이야기했다. 반응은 즉각적이었고 적의가 있는 것이었다. 특히 우리가 배를 우리것이라고 성급하게 선포했다고 보는 사람들은 더욱 심했다. 내가 무슨 말을 할 수 있겠는가? 4주 전에 하나님께서 흔들릴 수 있는 모든 것을 흔드시겠다고 한 히브리서 말씀을 읽은 바로 그날 이래로 배를 위한 헌금이 단 1날러도 늘어오지 않았고(지난 6개월과는 완전히 대조적으로), 약정 헌금도, 자원 일꾼도, 배에 대한 전문가들도 우리와 연결되는 데 문이 열리지 않았다는 사실이 내가 아는 전부였다. 그리고 필리핀 정부는 여전히 우리 친구의 개인 돈에 대한 강경한 태도를 늦추지 않았다. 그들이 이런 변화를 알 길이 없었음에도 불구하고 이 모든 일이 일어났던 것이다. 갑자기 순조로 웠던 흐름이 막혔다. 오직 하나님만이 그렇게 하실 수 있었다.

연합 기선 회사의 그 관대한 분들은 한번 더 우리에게 기한을 연기해 주었다. —이번에는 일 주일이었다. 우리는 그 제안을 받아들였다. 왜냐하면 하나님께서 부활시키는 방법이 어떤 식으로 나타날지 몰랐기 때문이었다. 그러나 끝이 가까워 오는 것 같았다. 사랑하는 사람이 무서운 질병으로 죽어가는 것을 보는 느낌이었다.

엎친 데 덮친 격으로, 우리에게는 배에서 시작하려고 했던 학교에 참석하기 위해 로스앤젤레스에 있는 우리 팀의 숙소로 올 예정으로 되어 있는 90명의 준비된 학생도 있었다. 나는 그 학생들에게 전화하여 배에서 열기로 했던 학교는 취소되었지만 하와이에서 갖게 될

YWAM 학교에라도 올 수 있다고 그들에게 선택의 여지를 주었다.

4주 후에 가족과 함께 로스앤젤레스 국제 공항을 떠나 하와이로 항해할 때 내 마음이 얼마나 무거웠는지 고백해야겠다.

우리가 호놀룰루 공항으로부터 팔리 고속도로를 달려갈 때에 나는 이번 우리의 하와이 방문이 예전과 얼마나 다른지에 대해 생각이 미쳤다. 햇빛도 여전하고 다이아몬드 헤드를 둘러싼 찬란한 푸른 물색깔도 여전했다. 노란색, 흰색, 분홍색의 꽃들이 가득 핀 플루메리아 나무도 변한 게 없었다. 그렇다. 변한 것은 내 마음이었다. 전에 내가 하와이에 왔을 때에는 아주 즐거운 기대감으로 가득찬 시간이었다. 오랫동안 달린과 떨어져 있다가 다시 만났었고 우리가 여태까지 보아온 것과 전혀 다른 학교에 대한 계획을 세우는 그런 시기였다.

그러나 이번에는 기다리기 위해서 하와이로 오는 것이다. 우리는 고속도로를 벗어나 카네오히에 있는 캠프로 들어섰다. 그 곳은 호놀룰루로부터 섬의 반대편에 있었다. 주차장 옆으로 카네오히 만이 바라보이고 식당 겸 모임 장소와 부엌이 있었다. 주차장에는 공중 전화가 있었다. 전화를 걸도록 박스가 있는 게 아니고 조그만 받침대 위에 전화기를 보호하기 위해 플라스틱 둥근 덮개가 있는 것이었다. 그것이 그 캠프에서 유일하게 이용할 수 있는 전화기였다. 나는 우리가 마오리의 이 곤경을 헤쳐 나가려면, 그 둥근 플라스틱 앞에서 많은 시간을 보내야 하리라는 것을 알았다.

달린과 나와 아이들은 그 오두막 집으로 향했다. 벽면이 2/3만 있었고 그 윗부분은 보조망 같은 것으로 되어 있는 목조집이었다. 붙박이 장도 없었고, 배관 공사도 되어 있지 않았다. 화장실은 다른 건물에 있었다. 그곳은 단순히 캠프일 뿐이었다.

그러나 현재까지 인도하심을 받은 경험 중 가장 깜짝 놀랄 만한 것을 경험하게 되는 것은 바로 이 초라한 곳에서였다.

15
하나님의 음성을 듣기 위한
세 가지 단계

우리들의 삶을 위해 하나님께서 다음 단계의 어떤 계획을 펼치시기 시작한 초기에는 하나님께서 우리를 인도하신다는 아무런 힌트도 없었다. 우리는 그저 기다리기만 하는 것처럼 보였다. 배에 대한 우리의 꿈은 죽었다. 우리 단체에 대한 '평판'도 손상되었다. 달린과 나를 가장 불안정하게 만든 것은 분명한 방향제시가 없다는 것이었다.

"그런데 우리가 순종하고 있는 걸까요?" 내가 짐을 풀면서 약간 투덜대고 있을 때 달린이 물었다. 그런 것 같았다. 나는 우리가 순종하고 있다고 생각했다. "그러면 그냥 귀를 기울여 봅시다. 하나님께서 어떤 일을 하고 계신지 보여주실 거예요!"

달린은 카네오히에 있는 우리 조그만 오두막집을 아늑한 집으로 만들기 위해 바쁘게 움직이고 있었다. 2개의 이층 침대가 겨우 들어갈 만한 장소였다. 달린은 빨랫줄을 쳐서 벽장 자리에 표시를 했다. 나의 사무 가방을 땅바닥에 눕혀놓고 그것이 내 사무실이라고 선언했다. 그리고 물론 달린은 캐런과 데이이드의 밥그릇과 컵, 그리고 그들의 할아버지, 할머니, 삼촌들, 사촌들의 사진을 꺼내놓았다. 상자들을 가구로 대신한 이 집은 우리 부모님이 아리조나 주의 서머튼에서 살던 텐트 집과 별로 다를 바가 없었다.

실제로 92명의 학생 전부가 하와이로 와 주었다! 나는 젊은이들의 놀라운 융통성에 경이를 금치 못했다. 짐과 제니 로저스도 그곳에 도착했다. 우리 모두가 그 캠프의 식당에 모였을 때 나는 무슨 일이 진행되고 있는지 설명해 주었다. 모든 사람이 함께 마음을 합하여 인도하심을 위해 기도하고 기대를 가지면서 기다렸다. 나는 주차장에 있는 조그마한 둥근 뚜껑이 있는 전화기 앞에서 뉴질랜드에 있는 윌리 웬지와 마오리에 관해 이야기를 나누면서 많은 시간을 보냈다. 연합 기선 회사는 이제 한 번에 하루씩만 만기 기간을 연장해 주고 있었다. 11월의 비바람이 윗벽이 보조망으로 덮여진 우리 방갈로 속으로 휘몰아 닥쳤다. 얼마되지 않아 우리는 캠프의 진흙 구덩이 속에 갇힌 셈이 되었다. 우리가 그분이 원하시는 바를 행하고 있는지 내가 하나님께 여쭤보았을 때 그는 그냥 그렇다고만 하셨다. 기다리는 시간이 영원히 계속되지는 않을 것이다. 더 많은 날들이 지나갔고 나는 아무 방향도 잡을 수 없었다.

돌파구를 찾는 시간이 어느 놀라운 밤에 시작되었다. 나는 철야기도하기로 결정하고나서 3명의 스탭인 지미, 제니, 그리고 레오나 피터슨에게 나와 함께 기도하기를 요청했다. 달린은 아이들과 함께 있어야 할 것 같다고 했다. 우리 네 사람은 10시쯤 목재로 된 작은 부속 건물로 가 불을 켜고 안으로 들어갔다. 우리는 몇 개의 접는 의자가 있는 곳의 거칠은 바닥에 무릎을 꿇고 앉았다. 뉴질랜드에서 처음으로 조이 도우슨에게 배웠던 하나님의 목소리를 듣기 위해 하는 세 가지 단계를 따랐다.

첫번재로, 우리는 그리스도의 권세로 사탄의 소리를 잠잠케 하도록 명령하고, 두 번째는 어떤 상상이나 미리 갖고 있던 생각들로부터 우리 마음을 깨끗케 해주시라고 주님께 구했다. 세 번째로, 우리는 하나님께서 택하신 때와 방법으로 말씀하실 것을 믿으며 기다렸디.

우리가 계속 하나님께 우리의 생각 속에 말씀해 주시도록 기도했

Prayer may not always work immediate miracles. But that it makes a nice down payment on some heavenly real estate.

을 때 차가운 바람은 만으로부터 불어 들어오고 게코 도마뱀들이 벽에서 찍찍 울어댔다. 우리는 배 사역에 관해 혼신을 다해 기도하는 시간을 가진 후 다시 기다렸다. 큰 벽시계의 뾰족한 검은 바늘이 밤 11시를 가리키고 있었고 레오나가 성경 구절이 마음속에 떠올랐다고 했다. 누가복음 4장 4절. 내가 뉴질랜드를 방문했을 때 처음으로 이런 방법으로 인도하심을 받으려고 했던 시간을 기억했다. 사람들은 그 말씀의 내용이 무엇인지 모르는 채로 그들 마음 속으로 특정한 성경 구절을 말하는 것을 '듣곤' 했다. 우리가 그곳에서 배웠던 중요한 열쇠는 예수님께 순복하라는 것이었다. 우리는 어떤 게임을 하고 있는 것이 아니었다. 공중에서 어떤 성경 구절을 끄집어내는 것이 아니라 우리의 생각을 예수님 한 분에게만 맞추고 주님의 말씀을 기디리머 는는 것이다. 그때 민일 에수님께서 어띤 특별한 싱겅 구절을 보라고 말씀하시면 우리는 하나님께서 그의 백성을 인도하시기 위해 어떠한 방법이라도 사용하실 수 있다는 것을 인정하면서 그렇게 했다. 그 철야 기도 시간에 레오나가 들은 성경 구절을 찾아 읽었을 때 우리는 계속해서 예수님의 목소리를 들을 수 있도록 우리를 격려하는 성경 구절이라는 것을 알았다. 그것은 누가복음에 있는 예수님의 말씀으로, 사람은 하나님 입에서 나오는 모든 말씀으로 산다고 하신 구절이었다.

다시 한번 우리는 조용히 기다렸다. 시계 바늘은 새벽 1시 30분을 가리켰다. 그런데 기대감 같은 것이 나를 사로잡아 깨어 있게 했다. 하나님께서 곧 말씀하시리라는 것을 알았다. 조용히 구하는 시간이 또 한번 오래 계속되었다. 놀랍게도 시계가 3시 30분을 가리키고 있었다. 그리고 나의 누이가 가엾게도 의자에 기대 무릎을 꿇은 채로 잠이 든 것을 보았다.

그때 갑자기 우리 셋이 동시에 하나님께로부터 말씀을 받기 시작했다. 2가지가 내 속에 확실하게 떠올랐다. 하나는 '코나' 라는 단어였다. 나는 그 곳에 한번도 가본 적은 없었지만 나는 그 곳이 빅 아일랜드에 있는 장소라는 것을 알았다. 두 번째는 빅 아일랜드에 있는 등대의 그림 같은 것이 마음 속에 보였는데 그 등대는 태평양을 건너 아시아까지 그 빛을 비추고 있었다.

나는 이해할 수가 없었다. 내 마음 속에 있는 관심사는 배에 대한 꿈이 부활하는 것에 대해서였다. 그럼에도 불구하고 하나님께서는 코나와 등대에 관해 말씀하시고 계셨다. 나는 침묵을 깨고 레오나와 지미에게 나의 의견을 얘기했다(제니는 여전히 자고 있었다). 그리고 '다시 한번' 그분의 목소리에 귀를 기울이기 위해 하나님을 기다리자고 제안했다. "주님, 당신이 말씀하시는 것을 이해할 수 있도록 도와주세요" 내가 기도했다.

더 많은 생각들이 우리 마음에 떠올랐다. 우리가 이미 갖고 있는 정규적인 전도 학교 같은 것이 아닌 다른 종류의 학교에 대한 생각이었다. 그것은 훨씬 광범위하게 훈련시키는 학교였다. 레오나는 하나님께서 농장에 관해 말씀하신 것을 들었다. 이 모든 생각 중에 가장 큰 수수께끼는 만(灣)에 정박해 있는 크고 하얀 배에 대한 그림이 마음 속에 떠올랐다는 것이다.

이제 시계는 아침 5시 30분을 가리키고 있었다. 내 생각은 이 모든 새로운 정보로 빙빙 돌아가고 있었다. 등대, 큰 학교, 빅 아일랜드—코나, 농장, 만에 떠 있는 하얀 배.

지미는 제니를 깨웠다. 몸을 일으키자 온 몸이 아주 뻣뻣함을 느꼈다. 나와 함께 기도해준 그들에게 감사를 표하고, 우리 집으로 가는 컴컴한 진흙길을 내려왔다. 나는 침대로 올라가 눕자 잠에 빠져들었다. 몸에는 기운이 다 빠졌지만 나의 내부에서는 기운이 넘쳐났다.

겨우 몇 분밖에 지나지 않은 것 같은데 달린이 내 어깨를 가볍게 흔들면서 일어날 시간이라고 나를 깨웠다. 나는 밤에 얼마나 놀라운 시간을 보냈는지 단숨에 그녀에게 말해주고는 서둘러 아침 공부 시간을 위해 식당으로 달려갔다. 학생들은 아침 식사 후에 깨끗하게 치워진 긴 식탁에 앉아서 기다리고 있었다. 90개의 얼굴이 나를 올려다보고 있었다. 대부분 젊은이들이었다. 가운데로 가리마를 탄 긴 머리 소녀들은 청바지나 유행이 지난 치마들을 입고 있었다. 형제들은 한결같이 청바지를 입고, 어떤 이들은 턱수염에 긴 머리를 하고 어떤 이들은 깨끗이 수염을 깎고 있었다.

"우리 몇 사람들이 주님의 음성을 듣느라고 아주 진지한 밤을 보냈습니다." 그리고 나는 계속해서 이렇게 말했다. "그러나 하나님께서 하신 말씀을 여러분과 함께 나누기를 원하시는지는 잘 모르겠습니다. 그래서 그분이 우리에게 말씀하신 것을 여러분에게도 말씀하시는지 보고 싶어요" 나는 우리가 기도하기 전에 밟았던 순서를 다시 사용하여 주님의 음성을 듣도록 기도했다. 사탄을 향해 그리스도의 권세를 선포하고, 우리가 갖고 있는 선입관을 모두 버릴 것을 고백하고, 예수님의 음성을 들으려고 했다.

그리고 우리는 기다렸다. 어린 아이들의 외치는 소리가 옆집 마당에서부터 들려왔다. "누가 첫번째로 나누겠어요?" 둥글고 테가 없는 안경을 쓴 둥근 얼굴의 소녀가 부끄러워하며 얘기했다. "약간 우스운 소리 같지만 대문자로 'K'라는 인상이 자꾸 내 마음에 들어왔어요."

나는 이상하다고 생각했다. "아무도 없어요?" 금발색의 턱수염을 한 청년이 재빨리 얘기했다. "나는 '코나'라는 단어를 받았어요." 나는 점점 더 흥분하기 시작했다. 어떤 이는 '화산'이라는 단어를 받았다. 하와이의 유일한 활화산은 빅 아일랜드에 있었다.

그 놀라운 아침이 이렇게 하여 진행되어 갔다. 젊은이들이 여기저기서 일어나 하나님께로부터 받은 단어들을 얘기했다. "나는 큰 장소에 대한 그림을 보았어요. 어떤 종류의 학교 같은 느낌이 들어요."

어느 청년이 얘기했다. 어떤 사람은 농장에 대해 언급하고 어떤 사람은 언덕 위에 있는 하얀 집을 보았다고 했다.

나는 흥분으로 가슴이 뛰었다. 많은 것들이 어젯밤에 우리가 받았던 인상들과 같은 것들이었는데 그저 반복되는 느낌이었다. 솔직히 말해서 내가 귀로 듣고 있는 그것을 믿기가 어려웠다. 나는 그곳에 90여 명의 증인들이 될 수 있는 사람들이 있다는 사실이 기뻤다.

나를 정말로 감동시키는 부분은 하나님을 구하는 그 시간의 바로 마지막 부분이었다.

한 소녀가 배를 보았다. 그녀는 말하기를 그것이 하얀 배이고 섬의 항구에 닻을 내리고 있다고 하였다.

도대체 무슨 일이 일어나고 있는 것일까! 하나님의 뜻을 구하는 놀라운 경험을 한 그 밤이 지난 지 2주가 되었다. 우리는 미래에 대한 놀라운 힌트를 조금은 얻은 듯했다. 그러나 이제 나는 현실과 맞붙어야 했다. 배가 죽음으로 인해 내가 알고 있는 60명의 선원들은 마음에 상처를 입었다. 그래서 12월 초에 나는 뉴질랜드로 갔다. 윌리 웬지는 웰링턴 공항에서 나를 맞아주었다. 그의 얼굴은 어두웠다. "나중에 말할 필요가 없을 것 같군요. 사무적인 거예요. 연합 기선 회사에서 계약을 취소했어요. 우리는 우리 배를 잃은 거예요."

윌리가 우리의 죽어버린 꿈을 보기 위해 항구로 차를 몰고 갈 때 우리 둘 다 별로 할 말이 없었다. 남반구에서는 12월이 초여름이었다. 태양은 그 만(灣) 위에서 반짝이고 있었다. 우리 눈 앞에 펼쳐진 경치는 우리의 기분과는 별로 어울리지 않았다. 윌리와 나는 마오리 앞에 서 있었다. 입구는 들어가지 못하도록 막혀 있고 건널판이 세워져 있어 우리는 도크 위에 묶여 있는 것 같았다. 나는 문득 관 앞에 서 있는 사람들처럼 우리가 입을 다물고 있다는 것을 깨달았다.

그리고 우리는 나머지 60병의 선원들을 만나러 갔다. 나는 그들에게 나사로에 관해 얘기해 주었다. "만일 우리가 인도하심을 올바로 받고 있는 것이 사실이라면 마오리는 우리에게 '고침을 받아' 다시 돌아오지 않을 것입니다. 이제 그 배는 죽었고 주님께서 그분이 선택하시는 방법으로 그 꿈을 부활시키실 거예요.'

그들의 얼굴을 바라다 보았다. —남녀들, 그리고 그렇게 많은 것을 투자한 10대의 청소년들, 나는 실로 마음이 아팠다. 어떤 이들은 이 꿈을 위해 멀리에서부터 뉴질랜드까지 왔다. 많은 사람들이 좋은 직장도 포기하고, 월급도 포기하고, 진급할 수 있는 기회도 포기하고 이 곳에 왔다. 그들은 함께 마오리를 깨끗이 하고, 칠을 벗겨내고, 닦고, 배의 갑판 위에서 비누 거품을 묻히고 사랑을 쏟으면서 수많은 시간을 보냈다. 그것이 그들을 가장 아프게 한 것이었다.

내가 하와이로 돌아왔을 때, 우리의 꿈이 끝나버린 것에 대해 알려야 할 사람이 있다는 것을 알았다. 비가 다시 내리고 있었다. 나는 카네오히 캠프의 주차장 공중 전화 앞에 우산을 쓰고 웅크리고 서 있었다. 나는 교환에게 상대방의 전화번호를 알려주었다. 영국에 사는 이 사람이 배를 위한 계약금을 주었었다. 우리가 얼마 전에 계약 파기로 잃어버린 돈이었다. 처량하게도 전화벨이 울릴 때 나는 우산 밑에서 등을 구부린 채 웅크리고 있었다. 내가 열 살 때 어머니가 주신 식료품비 5달러를 잃어버렸을 때의 느낌과 같았다.

아주 딱딱한 영국식 발음으로 느껴지는 목소리가 전화를 받았다. 나는 정신없이 그 동안에 일어났던 일을 얘기하기 시작했다. 슬퍼하시는 예수님의 모습이나 오오사카 회의에서 우리의 죄를 고백한 것, 특별히 우리의 교만과 또 그 고백함으로 인해 하나님께서 어떻게 그의 인도하심으로 문을 열어주셨는지 설명했다. 또한 예수님께서 우리에게 선택할 기회를 주셨는데, 우리가 마오리의 상황을 '고침'만 받을 수도 있고 아니면 더 어려운 길을 택하여 하나님께서 선택하시는 방법을 통해서 우리의 꿈이 부활되기를 믿고 의지할 수 있다는 것에 대해 얘기해 주었다.

"로렌, 당신이 말하고 싶은 것은 계약금을 잃었다는 거요?" 내 친구가 물었다.

"네…네, 그래요." 카네오히에 있는 둥근 플라스틱으로 덮인 전화기에는 오직 전화 연결선에서 나는 소음만이 들렸다. 마침내 나의 영국 친구가 말했다. "나는 내가 돈을 잘 투자했다고 생각하겠소, 로렌! 하나님께서 그것을 이용하여 당신의 단체를 그분 앞에 겸손케 하셨소. 나는 이제 당신이 특별한 능력으로 전진하기를 기대하겠소. 축하하오!" 나는 이제 정말로 '겸손'케 되었다. 이 영국 사업가는 얼마나 훌륭한 하나님의 사람인가!

하와이 카네오히에서의 이른 새벽이었지만 나는 벌써 깨어 있었다. 배를 잃어버린 지 한 달이나 되었다. 달린과 나, 캐런과 데이비드는 보조망이 쳐진 우리 오두막집 2층 침대 위에 누워 있었다. 우리 짐들은 다 꾸려서 문 옆에 놓아 두었다. 이제 스위스의 우리 집으로 가는 것이었다.

새벽의 햇살을 받으며 누워 나는 지난 10주 동안에 실시했던 학교 프로그램을 돌아다 보았다. 사실 그 시간들은 배에서 지냈어야만 하는 시간들이었지만 그 대신 질척거리는 캠프에서 수업을 했다. 나는 젊은이들이 잘 적응하는 것을 보고 매우 감탄했다. 외부 상황의 어려움에도 잘 적응했을 뿐 아니라 불확실성에 대해서도 잘 적응해 나갔다. 이제 스위스 집으로 돌아갈 시간이다.

집. 무엇인가가 내 안에서 언젠가 이 곳으로 다시 돌아오게 될 것이라고 말하는 것을 듣고 나는 당혹스러웠다. 바람과 비와 진흙탕임에도 불구하고 뿌리가 밑으로 뻗치고 있음을 느꼈다. 특별히 그 놀라운 철야기도 이후 이튿날 아침 젊은이들이 희한하게 똑같은 인도하심을 받은 이래로 적어도 지금까지는 아무도 완전히 그 인도하심을 이해하고 있지는 못했다.

우리가 탄 비행기는 제네바 호수 겸 겨울의 골짜기로 내려앉았다.

돈 스티븐스가 우리를 맞아주었다. 그는 러시아식의 털모자를 푹 눌러쓰고 있었다. 돈은 로잔 호텔 집으로 우리를 데려다 주었다. 그 친숙한 네모난 빌딩은 상록수로 가득하여 우리를 환영해 주는 듯하였다. 호텔은 베이지색으로 칠해져 있었다. 우리는 잠시 주차장에 서 있었다. 우리가 숨을 쉴 때마다 공중에 얼어붙을 정도로 추웠다. 그곳에 서서 우리가 4년 전에 모두 판자로 막아 놓은 이 빌딩을 처음 보던 때를 기억했다. 우리는 아무런 가구나 물건도 없이 오직 꿈만을 가지고 이사해 들어와서 거미줄을 치우는 것부터 시작했었다. 그때 이후로 모든 꿈들이 거의 이루어졌다. 우리는 60여 개의 나라에 수천 명의 일꾼들을 파송했고, 35개 지역에 지부가 설립되어 가고 있었다.

단지 한 가지 매우 중요한 꿈이 실현되지 않았다. 배였다. 돈이 차에서 우리 짐들을 꺼내고 있었다. 그래서 나도 서둘러 그를 도왔다. 우리가 호텔의 별관 아파트에 도착했을 때, 3살난 데이비드는 5살난 그의 누이 침대를 가로질러 자기 침대 위에 그의 장난감 곰을 휙 던졌다. 우리는 집에 온 것이다. 그런데 웬일인지 나만은 그렇게 느껴지지 않았다.

그런 느낌이 하나님께서 우리에게 무언가 말씀하시는 것이라고 할 수 있을까? 다음 몇 주에 걸쳐 우리가 그 친숙한 일상 생활 속에 젖어들어 갈 때도 나는 마음을 한 곳에 모을 수가 없었다. 어느 날 아침 수업시간 중에 나는 나의 불만족에 대해 분석해보려고 했다. 내가 없는 동안 돈은 일을 잘 하고 있었다. 그의 지도하에 젊은이들이 유럽 전역에 걸쳐 얼마나 창조적이고 혁신적인 전도를 해내었는지에 대한 소식이 들어오고 있었다.

돈은 이제 교실에서 이번 여름을 위한 계획에 대해 젊은이들에게 이야기하고 있었다. 갑자기 나는 그가 주저하는 듯한 눈초리로 나를 바라보는 것을 보았다. 나는 그의 생각을 읽을 수 있었다. 아마도 그가 나에게 먼저 확인받았어야만 했지 않았을까? 그 순간은 지나고 돈은 계속 얘기했다. 그러나 나는 즉각적으로 하나님께서는 새로운 지도자들을 배가시키고 계신다는 것을 깨달았다. 이제는 돈이 이 지부의 지도자였다. 나 자신의 새로운 모험을 찾아 옮겨가야 할 때였다.

인도하심 받기를 기다리는 사람에게는 이상하게 어중간한 시간이었다. 왜냐하면 나는 한 곳에서 분명히 인도하심을 받아 나오긴 했지만 또 다른 지역으로 가는 것에 대해서는 그만큼 분명한 인도하심을 받고 있지 못했기 때문이었다. 내가 유럽에 머물지 않을 것은 확실했다. 그리고 배는 사라졌다. 우리는 그것을 잃어버렸다. 돌이킬 수 없는 일이었다.

어느 날 나는 내 아파트에서 내가 가장 좋아하는 흔들 의자에 앉아 있었다. 그때 월리 웬지가 뉴질랜드에서 전화를 하였다.

"로렌, 당신이 알고 싶어할 것 같아서요. …마오리는 오늘 바다를 향해 떠났어요. 그 배는 타이완 폐물 회사의 폐물 운반을 위해 팔렸어요. 우리 선원들의 몇 사람은 도크에 서서 견인선이 그 배를 끌고 가는 것을 지켜 보았어요…."

나는 전화를 끊고 안개에 싸인 산을 내다보았다. 산드라 고모와 후에 아르네트 고모가 암으로 죽었을 때 느낀 것과 같은 무력함을 느꼈다. 캐런과 데이비드의 행복하게 떠드는 소리가 그들의 방으로부터 들려왔다. 달린은 김이 모락모락 나는 코코아를 들고 들어왔다. 나는 월리에게서 온 전화에 대해 그녀에게 얘기했다.

"마오리는 죽었소—죽었어, 달린." 그녀는 아무 말도 안했다. 우리는 그냥 거기 앉아서 창문 밖으로 1월의 안개를 바라보고 있었다. 나는 하나님께서 흔들릴 수 있는 것은 그가 흔드시겠다고 하신 이래로 4개월 동안 겪은 아픔을 생각했다. "나는 한번도 이렇게 …방향도 없이 ."

"알아요, 여보. 우리는 우리 도끼 머리를 잃어버린 거예요."

나는 즉시 달린이 어떤 인도하심을 받는 원칙에 대해 말하고 있다는 것을 알았다. 던컨 캠블은 우리 학교에서 3년 동안 가르쳤는데 그는 엘리사와 그의 생도들에 관해 이야기해 주었었다. 엘리사의 생도 하나가 그의 도끼의 머리 부분을 잃어버렸다. 엘리사는 그 젊은 이에게 가르쳐 주기를 그가 그것을 가지고 있었다는 것을 확실히 알고 있던 그 마지막 장소로 돌아가라고 했다. 그 마지막 장소에서 하나님께서는 그가 필요로 했던 그 연장을 다시 주셨다. 던컨은 이렇게 말했었다─때때로 우리는 순간적으로 우리 도끼의 머리 부분을 잃어버린다. 즉 사역을 위한 우리의 가장 날카롭게 자르는 도구인 하나님의 분명한 음성을. 만일 우리가 하나님의 분명하고도 날카로운 날과 같은 그 음성을 들었다고 생각하는 그 곳으로 돌아가면 도움이 될 것이다.

어느 곳이 하나님께서 우리에게 말씀하신 마지막 장소일까? 나는 분명히 보았다.

"달린, 의심할 여지없이 우리가 우리 도끼의 머리 부분을 가졌던 마지막 장소는 하와이에서의 철야 기도장소요." 내가 말했다. 그러면 그가 무엇이라고 말씀하셨나? 우리는 마오리에 관해 하나님께 물어보기 위해 그날 밤을 기도로 보냈지만 하나님께서 그 대신에 태평양과 아시아를 위한 큰 섬의 등대에 관해 말씀하셨다.

달린과 나는 오후 늦게까지 얘기했다. ─코코아 차는 점점 식어 갔고, 우리 곁에 있는 식탁 위에 잊혀진 채로 놓여 있었다─우리는 각각 다른 그룹에 하나님께서 신비스럽게 주신 말씀들을 기억했다. 하나님께서는 빅 아일랜드의 코나 연안, 언덕 위의 하얀 집, 농장, 새로운 종류의 학교 등에 대해 말씀해 주셨다. 항구에 놓여 있던 그 하얀 배까지도. 분명히, 그곳에 도끼 머리 부분이 놓여 있는 것이었다.

우리 두 사람 다 특별히 태평양과 아시아를 위한 등대의 생각에 호기심 있어 하는 자신들을 발견했다. 언젠가는 우리가 점점 더 전 세계에 있어서 가장 복음화가 되지 않은 이 지역에 커다란 도움이 필요하다는 것을 알게 될 것이다.

지구의 60%가 태평양과 아시아 지역에 살고 있지만 그 중에 1% 만이 예수 그리스도와 개인적인 교제를 갖고 있다.

이제는 우리 둘 다 다음 개척을 위한 우리 방향을 알고 있었다. 우리는 우리 지경을 넓히게 될 것이다. 이 모든 것 후에 하와이는 아 시아를 위한 발판이 될 것이다.

"우리는 빅 아일랜드로 영구적으로 옮기게 될 것이오!" 나는 말했 다.

내가 '영구적'이라는 단어를 사용할 때 달린은 웃었다. 우리가 9 년 동안 함께 보낸 켄트나, 교실, 캠프에서 보낸 시간들을 기억했기 때문이었다.

우리 아이들의 집은 거의 문자 그대로 뚜껑 안쪽에 가족들의 사진 이 붙어 있는 가방이었다. 나는 그녀와 같이 웃었다. 갑자기 우리가 우리 앞에 놓여 있는 길을 분명히 보았다는 사실로 인해 안심이 되 었다.

우리 둘 다 그 땅을 아시아를 위한 우리의 발판으로 선포하게 되 는 것이 얼마나 어려운 일인지 알지 못했기 때문이었던 것 같다.

16

칼라피, 집으로 돌아오다

무슨 일인가 일어나고 있었다! 나는 무슨 일이 일어날 것인지 분위기로 느낄 수 있었다. 달린과 나와 우리 아이들이 로잔에 작별을 고하고 달린이 제일 좋아하는 로잔 호텔 주위의 야생화를 버려두고, 하와이 빅 아일랜드의 화려한 꽃으로 대신한 지 3년이 되었다.

나는 금방 무너질 것 같은 빌딩이 있는 곳으로 가기 위해 YWAM 차를 꺾어서 진입로로 들어섰다. 그 빌딩의 반은 덤불과 잡초로 가리워져 있었다. 도로의 표지판에는 단어들이 몇 개 빠져 있었고, '퍼시픽 엠프레스 호텔'이라고 되어 있었다. YWAMer들이 열 명 더 뒷좌석에 비좁게 앉아 있었다. 3대의 차가 우리 뒤를 바짝 따라오고 있었다. 우리가 군데군데 움푹 패인 주차장에 도착했을 때 캐런이 적절하게 한 마디로 표현했다.

"너무 지저분하구나." 그럼에도 불구하고 나는 우리 모두가 다른 눈으로 이 장소를 보고 있다는 것을 확인했다. 주님께서 일하시고 계시는 중이었다. 나는 8년 전에 은행 빚으로 문 닫게 된 '퍼시픽 엠프레스 호텔'이었던 건물을 반쯤 덮고 있는 열대성 포도나무 덩굴을 보았다. 건물 주위에 부드럽게 경사진 오만 평 정도의 땅은 한때 호텔 골프장이었다. 우리는 중심되는 이 지역의 모든 것을 아주 적은 보증금으로 확보했다.

"적어도 전경이 멋있잖아요?" 달린이 말했다. 그녀가 분명히 옳았

다! 우리 위에 사화산인 후알라레이의 꼭대기가 보였다. 그로 인해 그 주변은 아주 기름진 땅이 되었다. 우리 아래에는 반짝이는 푸른 색의 코나 만의 전경이 보였다. 나는 크고 하얀 배가 거기 정박하고 있는 것을 볼 수 있었다.

우리는 마구 무성하게 자란 잡초들을 제거하기 시작했다. 나는 칼과 괭이를 들고 한때 조경공사가 된 열대 정원이었던 수영장 주위를 파헤치기 시작했다. 우리 전도학교에서 온 100명 넘는 학생들과 스탭들이 이 지저분한 건물 주위를 치우고 있었다. 괭이질을 하거나, 무릎을 꿇고 한 웅큼씩 되는 더러운 잡초 뭉치를 뽑아내거나 하는 일에 익숙해지면서 지금으로부터 4년 전 카네오히 캠프에서의 철야 기도시간의 놀라운 결과에 대해 생각하기 시작했다.

한 가시 어리둥절케하는 예외를 제외하고는 하나님께서 카네오히 에서 우리에게 보여주신 모든 것이 실현되어 가고 있었다. 과연 우리는 빅 아일랜드로 오게 되었다. 좀더 엄밀히 말하면 빅 아일랜드의 코나 연안에 있었다. 그것은 금발색 턱수염을 한 젊은이가 예언한 것처럼 그리고, 그날 밤에 우리가 환상을 본 것처럼 우리는 이제 6만 평 정도의 농장을 소유하게 되었다. 어떤 남자가 내게 찾아와 하나님께서 그 농장을 우리에게 주라고 하셨다고 말했다. 그리고 우리가 보았던 언덕 위의 큰 하얀 집은? 그것도 이제 YWAM의 소유가 되었다. 우리의 새로운 '예수 제자 훈련 학교'(Discipleship Training School)의 스탭들과 학생들을 위한 집으로 사용하고 있었다.

표면상으로는 우리가 명령을 잘 이행하고 있는 것처럼 보였다. 그런데 왜 달린과 나는 여전히 쉬지 못하는 마음을 갖고 있을까? 화산암 속에서 자라나는 더러운 잡초를 또 한 줌 뽑아내면서 "도대체 이해가 안되는군."하며 혼자 중얼거렸다. 우리는 지난 3년 넘게 여기 빅 아일랜드에 있으면서 우리 둘 다 무엇인가가 더 있다는 것을 계

속 느끼고 있었다. 어느 날—약 1년 전에—내 머리 속에서 한 가지 질문이 구체적으로 형성되었을 때 나는 그 이유를 알게 되었다. "로렌, 너는 최근에 너의 원래의 부르심과 현재의 삶을 비교해 본 적이 있는가?"

이것은 인도하심을 받는 원칙 중의 하나인데 내가 무시해오고 있었다. 정기적으로 우리는 우리가 받은 명령에 비추어 우리 사역이 진행되는 과정을 진단해 보아야 한다. 나의 부르심은 분명한 것이었다. 복음의 양면성을 전파하는 것이었다. 예수님을 통하여 우리는 우리의 온 마음을 다하여 하나님을 사랑하고 우리 이웃을 자신처럼 사랑하는 것이 가능하다는 것이다.

재진단해 보는 시간에 나는 나 자신에게 물었다. 온 세상에 사랑의 양면을 전파해 왔는가? 우리가 얼마만큼 성공적으로 전파해왔는가?

나는 우리가 이웃이 아파하는 부분에 도움을 주는 일을 그렇게 잘 해내지 못했다고 느꼈다. 바하마 섬에서의 그 일이 있은 이래로 나는 긍휼의 사역을 감당하여 우리 이웃이 도움을 필요로 하는 그 부분을 우리가 사랑으로 도와줄 수 있는 배를 갖기를 꿈꾸어왔다. 우리의 첫번째 노력은 제단 위에 놓여져야만 했다. 왜냐하면 그것이 예수님의 영광을 가로채게 되었기 때문이었다. 그러나 우리의 꿈을 계속 붙잡도록 하는 많은 격려도 있었다. 특별히 한 가지는 내게 큰 의미를 주었다. 그것은 아직도 포장된 상자 속에서 벽에 걸리울 날을 기다리고 있는 어머니가 보내주신 팻말인데 거기에는 '배를 포기하지 말라'고 씌어 있었다.

그리고 그 양면 중 다른 한 면인 우리 마음과 뜻과 힘을 다해 하나님을 사랑하는 것을 배우는 이 면에 있어서는 어떠한가? 이 부분에 있어서는 열심히 일해 왔다. 복음은 종종 그리스도인들의 보통 교회 안의 어딘가에서 큰 모임을 연다든지 하는 '종교적인' 형태 안에서 전달되어지곤 한다. 그러나 세상에서는 대중전달을 위해서 예술, 연예, 가족, 교육, 매스컴, 사업, 정부 등 아주 많은 다른 방법을 동원하고 있다. 갑작스럽게—일년 전 내가 나의 근본적인 부르심에 대해 다시 확인하던 그날—비전이 넓혀졌다.

만일 우리가 젊은 사람들 특히 아시아와 태평양 연안에 있는 젊은이들을 대중 전달을 위한 전략적인 부분에 있어서 그와 같이 효율적으로 훈련시킬 수만 있다면. 우리의 목표는 수천만 명의 젊은이들이 전도 사업을 배가(倍加)시키는 요소로서, 사고를 형성시키는 사회의 흐름 가운데로 들어가도록 하는 것이다.

우리의 훈련 과정에서는 머리로 아는 지식만큼 하나님과 또한 다른 사람들과의 관계에 대해 강조를 두게 될 것이다. 우리는 아시아나 태평양 지역에서 생활하는 학생들에게로 숙련된 교수진들이 번갈아가며 와서 그 학생들과 더불어 생활하며 가르치도록 할 것이다.

실제로 행함을 통해 배우는 데에 중점을 두게 될 것이다. "주님, 정말 당신은 유머가 있으신 분이십니다."라고 나는 부겐빌리아 덩굴을 잘라내느라고 나는 획획하는 칼소리보다 더 크게 말했다. "주님, 오로지 당신만이 이 낡은 호텔을 대학으로 바꾸어 놓을 수 있는 창조적인 분이십니다." 그렇지만 나는 하버드, 예일, 프린스턴 대학들도 복음에 초점을 두기 원하는 사람들에 의해 그 꿈이 이루어지기까지 이와 같은 진통을 겪으면서 시작했었다는 것을 생각했다. 이제 태평양 아시아 기독교 협회(PACU)도 우리에게 아무것도 없지만 적어도 대학을 세워야 한다는 확신과 주님의 인도하심을 갖고 시작한다는 이 한 점에 있어서는 당당한 전통을 갖게 될 것이다.

그러나 현재로는 우리가 이 땅을 깨끗이 정돈하고 낡은 호텔 건물을 수리해야하는 그 끔찍한 도전을 받아들여 일을 시작한 것이다. 데이비드는 6살짜리답게 방금 도착한 트랙터에 대해 흥분해서 내게 달려왔다.

"이리 와봐요, 아빠! 트랙터가 쇠사슬로 가시 덩굴을 뽑아내고 있어요. 와서 보세요!" 나는 감사하게 여기며 연장을 내려놓고 데이비드의 손을 잡고 트랙터를 환영하기 위해 그 쪽으로 걸어갔다. 그 짧은 순간 나는 미래를 내다보았다. 나는 수천 명의 젊은이들이 바로 이 뜰을 밟고서 하나님의 은혜를 전달하는 자들인 선교사로서 세계로 나아가게 될 그 날을 내다보았다. 그 땅이 형편없다고 한다면 호텔 건물은 더 심했다. 달린과 나와 아이들은 낡은 호텔의 황폐한 안뜰을 지나 걸어 들어갔다.

"여기 99개의 방과 100여 개의 화장실이 있는 것을 알고 있소?" 나는 달린에게 말했다.

"그리고 그 방들이 모두 다 엉망이죠!" 달린이 몸서리치며 말했다. 우리 가족에게는 그날 이후에 해야 할 특별한 한 가지 일이 있었다. 우리는 집으로 쓸 방들을 이 건물 안에서 찾아내야만 했다. 솔직하게 말해서 어떤 방도 마음에 들지는 않았다. 네 개의 건물이 모두 다 심하게 황폐된 상태였다. 나무들에는 군데군데 흰 개미가 가득하였고, 어떤 방들은 우리가 호텔을 사기 전에 호텔 안에 있던 무단거주자들에 의해 소변 냄새가 가득하였다. 쥐들과 바퀴벌레들도 자기들 마음대로 들락거렸다.

"달린, 당신이 나하고 결혼하면 아주 소박한 삶을 살게 될 것이라고 말하긴 했어도 이것은…." 나는 썩어져가는 폐물 한 더미를 가리키며 말했다. "나는 아무리 당신이라 하더라도 여기를 어떻게 아이들이 집같이 느끼도록 만들 것인지 모르겠소." 나는 캐런의 머리를 흐트러뜨리며 웃으면서 이야기했다. 나는 정말 달린이 어떻게 감당해 나갈 수 있을지 궁금했다. 우리는 결혼한 지 14년이 되었지만 우리 소유의 차나 가구도 없었다. 하와이 섬으로 온 이래 달린과 나와 아이들은 열여덟 번이나 이사를 다녔다. 3년 동안 열여덟 번이나 옮긴 것이다.

"걱정 말아요, 로렌." 달린이 말했다. "말끔히 치우고나면 전혀 달라보일 거예요." 마침내 달린은 모텔로 쓰던 건물의 3층에 있는 방 3개를 선택했다. 그 방은 문에 장식이 되어 있고 한때는 푸른 색이었던 카펫이 놓여 있었다. 또한 화장실 그 안에 있는 시설물들은 한 번도 청소한 적이 없는 듯하였다.

그러나 우리 YWAMer들이 얼마나 기꺼이 도와주려고 하는지 그 다음 2주간에 걸쳐 많은 젊은이들이 열심히 참가하여 치우기 시작했다. 자매들 100명 모두는 화장실을 청소했고 형제들은 더러운 카펫을 청소하는 데 전문가가 되어 있었다. 우리는 젊은이들이 밤과 낮으로 교대로 당번을 정하여 밤낮으로 일할 수 있도록 했다. 그리고 기계를 빌려서 방마다 다니면서 청소를 했다.

마침내 달린과 나 그리고 아이들은 카일루아—코나 마을 중심가에 있는 우리의 마지막 숙소에서 언덕으로 이사해 왔다. 우리는 이제 깨끗하게 청소된 푸른색 카펫 위에 우리의 가방들을 털썩 내려놓고 반짝거리는 만(灣)을 향해 나 있는 창문으로 밖을 내다 보았다. 창문 아래에는 코코낫 야자수들이 둘러쳐 있었다. 달린은 벌써 아이들의 컵, 그릇 그리고 사진들을 꺼내놓기 시작했다. "애들아, 자, 여기 있다." 그녀는 캐런과 데이비드에게 그들이 계속 변함없이 소유해 온 귀한 물건들을 건네주면서 말했다. "우리집처럼 꾸며 보자."

우리가 이사해 온 지 며칠 후 나는 우리 베란다(라나이—하와이에서는 베란다를 그렇게 불렀다)에서 빌려온 접는 의자에 앉아 하워드 말름스타트 교수와 얘기하고 있었다.

인도하심 받기를 구할 때 우리가 사용하는 원칙 중의 하나는 '계속적인 확인'을 받는 것이다. 마치 이것은 우리가 익숙치 못한 고속도로를 갈 때 확인하는 길표지판과도 비슷한 것이다. 내가 그러한 표적을 본 것은 우리가 그 접는 의자에 앉아서 얘기하는 동안이었다. 내가 처음 만났을 때 하워드 말름스타트 박사는 우바나 대학 일

리노이 대학의 저명한 과학자요, 교수였다.

우리가 라나이에 앉아 있을 때 나는 하워드 씨에게 하나님께서 우리에게 대학교를 시작하도록 인도하고 계신다고 말했다. 그 대학교는 젊은이들로 하여금 하나님을 알고 그 다음에는 사회의 영향력 있는 여러 분야로 들어가서 하나님을 알리도록 하는 아주 특별한 형태의 산실이 될 것이라고 말했다.

"알아요." 그는 조용히 말했다. "하나님께서 벌써 나에게 말씀하셨어요." 하워드는 계속 설명했다. 그는 최근에 미드웨스턴 대학의 총장직을 맡아 달라는 부탁을 받았다고 했다. 그러나 그가 그 일에 대해 기도하기 시작했을 때 깜짝 놀랄 만한 생각이 그의 머릿속에 떠올랐는데 그것은 그가 그 대학 대신 하와이로 가야 한다는 것이었다! "왜 하와이일까?" 하나님께서는 "왜냐하면 내가 YWAM에 3대 학교를 설립하도록 할 것이기 때문이다. 장소는 하와이가 될 것이고 너는 그 중의 한 분야를 담당하게 될 것이다."라고 하셨다.

이 확실한 방향제시가 크게 위로가 된 반면에 위로가 되지 않았던 다른 일들도 있었다. 그 중에 가장 가슴아픈 일은 우리의 사랑하는 칼라피의 생활이었다. 2년 동안 칼라피는 상상할 수 없을 만큼 가장 비참한 생활로 전락했다.

나는 4년 전인 1973년, 오오사카 회의에서 타푸와의 결혼생활에 문제가 있다고 말했을 때 칼라피에 대한 첫번째 경고의 종소리를 들었다. 달린과 나는 그 후 1년이 지난 우리의 다음 회의에서 그들을 만났다. 우리는 조용한 방을 찾아가 문을 닫고 그들의 슬픈 이야기를 들었다. 우리는 그 부부간의 문제가 여자 문제였다는 것을 알았다.

"로렌, 나는 그녀에게 키스했어요. 그 이상 더 깊이 들어가지는 않았어요! 나는 그것을 타푸에게 고백했고, 내 밑에 있는 다른 지도자들에게도 얘기했어요. 나는 그 문제가 끝났다고 생각했어요."

그러나 타푸는 깊게 상처를 받았다. 그녀는 배반 당한 감정을 잊어버릴 수가 없었다. 달린과 내가 듣고 싶지 않은 더 깊은 내용이 있었다. 그들은 울었고, 서로 화해하는 말을 주고 받았다. 처음에 우리가 생각하기에는 다 해결되었다고 생각했었다. 그러나 무엇인가 꺼림직했다. 나는 무엇이라 말할 수는 없지만 여전히 해결이 안됐다는 것을 알았다. 나는 칼라피와 타푸에게 다음 학교의 일원으로 하와이에 머물도록 설득했다. 그러나 칼라피는 거절했다. "아니오, 우리는 캘리포니아에 세 없이 집 한 채를 받았어요. 얼마 동안 우리는 사역을 쉬어야겠다는 생각이 들어요. 우리는 결혼 생활을 다시 잘 해 보고 싶어요." 어쩐지 그렇게 하는 것이 내게는 옳은 일 같이 들리지가 않았지만 나는 사역을 강요하지 않았다.

그들이 캘리포니아에 도착한 지 얼마되지 않아 우리가 가장 두려워하던 것이 현실로 나타났다. 칼라피가 본토에서 그 소녀와 다시 만나고 있다는 말이 그 소녀의 부모로부터 들려왔다. 그들은 딸이 칼라피와 더 깊은 관계를 가질까 봐 걱정하고 있었다 타푸도 다른 남자와 만나고 있다는 것을 알았다. 나는 칼라피와 얘기하기 위해 로스앤젤레스로 갔다. 내가 여러 번 그가 정직하게 말할 수 있는 모든 기회를 주었는데도 그는 그렇게 하지 않았다. 그의 대수롭지 않다는 식의 대꾸로 나는 내가 근거없는 소문을 들었었다고 믿게 되다.

그러나 내가 빅 아일랜드로 돌아왔을 때 나는 그 소녀의 부모로부터 다시 한번 전화를 받게 되었다. 나는 이제 내 친구와 맞부닥쳐야 한다는 것을 알았다. 집에서 그에게 전화했다. "칼라피." 내 목소리는 태평양 선(線)을 가로질러 울렸다. "자네가 얼마나 심각한 일을 벌여 놓고 있는지 자신이 알아야 할 걸세! 지금이라도 늦지 않았으니 오게." 그의 반응은 무거운 침묵이었다. 그 다음 주에 나는 편지를 받았다. 급히 뜯어보았다. 칼라피의 편지였다. "나는 하나님을 경외합니다. 로렌. 그러나 나는 위선자가 될 수는 없습니다. 나는 내 자신의 삶을 살아야 할 필요가 있습니다. 얼마 동안 나를 찾으려고 말아 주십시오."

내 눈에서 눈물이 흘렀다. 그러나 나는 포기하지 않았다. 끈질김이 한 깨어진 관계를 회복시켰던 한때를, 즉 마이애미에서 아르네트 고모가 결국 나를 만나주겠다고 허락하실 그 때까지 끝가지 내가 전화했던 일을 기억했다.

칼라피의 편지를 받은 지 몇달 후에 나는 조이 도우슨을 다시 만났다. 그리고 칼라피를 위해 중보기도를 하였다. "하나님, 그에게 한 번 더 기회를 주십시오." 우리는 간절히 구했다. 우리 뺨을 타고 흘러내리는 눈물을 부끄러워하지 않았다. 바로 그 시간에 우리가 나중에 안 일이었지만 칼라피는 몇명의 다른 젊은 남자들과 술집에 있었다. 그는 즉시 죄로 빠져 들었다. 매일 밤 제일 먼저 술을 마시기 시작해서 자주 벌어지는 싸움에는 제일 늦게까지 끼어 있었다. 그리고 총까지 지니고 다녔다. 그날 밤 그가 가장 좋아하는 술집에서 술을 마시기 위해 안간힘을 쓰고 있을 때 깡마른 한 소녀가 칸막이 방 그의 옆으로 후다닥 달려들어 왔다. 그런데 시끄러운 음악 소리보다 더 크게 그 소녀는 칼라피에게 그녀가 빌리 그래함 전도 집회에서 결단하기 위해 앞으로 나간 적이 있었다는 것을 얘기하기 시작했다. 칼라피는 놀라서 그녀를 바라보았다. 그의 새로운 친구들 중 아무도 그의 과거를 아는 사람이 없었다. 그 소녀는 자기가 그 결단을 계속 지킬 수 있기를 희망한다고 칼라피에게 말했다. "칼라피, 두려워요." 그녀는 이렇게 끝맺었다. "나는 죽을 것이고 지옥에 가게 될 거예요!" 이 말에 칼라피는 그 술집의 소음보다 더 크게 울부짖으며 고함을 지르며 놀라운 말을 했다. "하나님, 내게서 손을 떼세요!"

달린과 나는 다시 로스앤젤레스에 와 있었다. 우리는 그를 만날 수 있으리라는 희박한 가능성을 가지고 그의 집에 가기로 결정했다.

시간이 놀랍게 잘 맞아 들어갔다. 칼라피가 그의 물건을 챙기려고 들어온 바로 그 시간에 우리가 도착했다. 그는 집을 아주 나가려고 마음을 먹었다. 나는 지금까지 한번도 보지 못한 완강함을 그에게서 보게 되었다. 그렇게 되면 타푸는 어떻게 되는가? 우리는 물었다. 칼라피는 계속 짐을 쌀 뿐이었다.

그가 알고 있는 것이라고는 타푸가 잉글우드에 있는 나이트클럽에서 노래하고 있다는 것뿐이었다. 그는 그녀가 어디에서 살고 있는지조차 몰랐다. 그러나 그의 생각에는 남북가의 어느 아파트에 살고 있을 것이라고 했다.

달린과 나는 바보스러운 기분으로 잉글우드로 차를 몰았다. 우리가 어떻게 이 아파트들의 미로에서 그녀를 찾을 수 있을까? "하나님, 당신은 타푸가 어디에 있는지 아시죠?" 나는 기도했다. "우리를 그녀가 있는 곳으로 인도해 주시겠어요?"

다음에 무슨 일이 일어났는지 내가 어떻게 설명할 수 있을까? 내자신이 그것을 믿는 데도 오랜 시간이 걸렸다. 우리는 어느 거리로접어 들어야할지 하나님께서 가르쳐 주시도록 기도하면서 임페리얼가 동쪽으로 달리고 있었다. 내가 잉글우드 거리를 가로질러 호손의큰 거리로 왔을 때 잉글우드로 다시 돌아가야겠다고 느꼈다. "네, 그래요." 달린이 말했다. 나는 남쪽으로 꺾어 잉글우드로 갔다. 천천히네 구획을 지나갔다. 그 때 성령께서 내 마음에 말씀하셨다. '여기서멈추어라.' "저 아파트에서 찾아봅시다." 나의 말에 달린은 즉시 동의했다. 그 아파트는 빛바랜 초록색의 회벽으로 된 2층 건물이었다. 그 거리의 양쪽에 12개의 건물이 거의 쌍둥이처럼 모두가 똑같았다.

우리는 차에서 내려 보도 위의 부서진 장난감이나 자전거들 위를밟고 지나갔다. 우리는 우리가 설명하는 것과 비슷한 여인을 알고 있다는 어린 소녀를 발견했다. 그 어린 소녀는 타푸가 2층에 살고 있다고 했다. 우리는 층계를 올라가 문을 두드렸다.

타푸가 문을 열었다. 그녀는 잠옷을 손에 움켜쥔 채 놀라며 서 있었다. 그녀는 눈이 휘둥그래져서 거실로 들어가면서 "어떻게 나를 찾아냈어요! 들어오세요. 그렇지만 얘기할 시간은 없어요. 가야해요."라고 했다. 우리는 그녀에게 간청했으나 소용없었다. 그녀의 거실에서 어색하게 5분 동안 서 있다가는 바로 그곳을 나와야 했다.

바로 다음 주 조이 도우슨은 칼라피에게 한번 더 편지를 써야겠다고 생각했다. 우리가 나중에 안 일이지만 칼라피가 우체국에서 조이의 편지를 찾아가지고, 차 있는 데로 가서 편지를 찢어서 보았다. 갑자기 하나님께서 그에게 말씀하셨다. 칼라피는 하나님께서 하시는 말씀을 그의 귀로 똑똑히 들을 수 있었고 그의 전신에 땀이 흐르기 시작했다. "칼라피." 주님께서 부드럽게 말씀하셨다. "그리스도인의 삶을 사는 것은 어려운 일이다. 그러니 그보다 더 어려운 것이 꼭 한가지가 있는데 그것은 그리스도인이 되지 않는 것이다. 나를 따르기 위해 네가 지불해야할 그 대가는 나를 따르지 않기 위해 치루어야할 대가보다는 훨씬 적은 것이다."

칼라피는 가장 가까운 공중 전화 박스를 발견했다. 그리고 빅 아일랜드에 있는 나에게 전화하였다. 그는 도우슨 부부와 연결이 되어서 몇 시간 동안 그들과 기도하고 하나님을 떠난 5개월의 생활을 청산했다. 그리고 그는 하와이로 돌아왔다. 나는 그가 치료받아야 할 시간이 필요하다는 것을 느꼈다. 내가 권유해서 그는 빅 아일랜드 반대편에 있는 하와이 대학에 등록했다. 그 외 여가 시간 동안에 칼라피는 조만간 크게 번창할 조경사업을 시작했다. 칼라피는 그가 할 수 있는 일은 최대한으로 하는 사람이었다. 그가 빅 아일랜드로 우리가 사는 곳을 방문했을 때에 그는 다시 사역을 시작하게 되리라는 것을 기대하지 않는다고 했다. "예수님께서 나를 용서해 주신다면 그것으로 족해요. 얼마 동안 아무 것도 하지 않고 그냥 이대로 있고 싶어요."

다음해 일년 반 동안 칼라피가 변해 가는 과정을 지켜보면서 때때로 그가 퇴보하는 것도 보게 되었다. 칼라피와 타푸는 다시 합하기 위해 노력했다. 그러나 그들의 노력은 실패로 돌아갔다. 그들은 이제 포기한다고 말하고는 이혼했다. 칼라피는 다시 조금씩 술을 마시기 시작했다. 또다시 그에게 찾아가 물어보면 그는 자기를 홀로 있도록 내버려둬 달라고 부탁했다. 얼마 후에 그가 재혼했다는 것을 들었다. 그의 새 부인은 리다였다. 그녀는 그리스도인이 아니었다.

이런 모든 일이 진행되는 동안에 우리는 마치 줄타기를 하는 기분이었다. 어느 때 강경한 태도를 보여줘야 할지, 또 언제 고삐를 풀어 놓아야 할지 조심스럽게 판단해야 했다. 칼라피는 YWAM에 훈련학교가 시작되기 전에 YWAM에 있었기 때문에 그가 지도자로서 일하기 전에 그 훈련을 받은 적이 없었다. 한편으로 그러므로 우리가 지금 지나고 있는 이 상황은 칼라피만을 위한 단기간의 집중 훈련 과정이었다.

우리가 어느날 밤 우리 거실 바닥에 엎드려서 칼라피를 위해 기도하고 있을 때 나는 달린에게 말했다. "그가 과연 그 과정을 통과할 것인지 나는 때때로 의심이 된다오."

칼라피가 재혼했다는 소식을 들은 지 9개월이 지난 어느 특별하고도 특별한 날 우리는 전화를 받았다. "나와 리다가 방문하러 가도 좋겠어요?" 칼라피가 물었다. 우리를 방문할 수 있느냐고? 그가 물어볼 필요가 있는가? 그것보다 더 우리 마음을 흥분시킬 만한 것은 없었다. "그럼, 그럼" 나는 말했다. "금요일 밤?"

그래서 칼라피와 임신중인 리다가 와서 함께 저녁 식사를 했다. 조이 도우슨은 빅 아일랜드의 우리 학교에서 가르치고 있었는데 이 저녁이 우리와 함께 하는 마지막 시간이었다. 우리가 식사한 후 달린이 리다와 얘기하는 동안 조이는 칼라피를 한쪽 구석으로 데리고 갔다. 꽃이 태양을 향해 봉오리를 피우는 것 같이 리다는 즉시 마음을 열어 예수님을 영접했다. 우리는 매우 흥분했다.

나는 거실 한 구석에서 조이가 칼라피와 솔직한 대화를 하고 있는 것을 바라보았다. 그의 굽어진 어깨와, 찡그러진 이마를 보면서 나는 그가 하나님께 전적으로 순복하려는 것을 깊이 숙고하고 있다는 것을 알 수 있었다. 그가 그날 밤 떠날 때 나는 칼라피의 미래가 아직도 애매한 상태에 있다는 것을 알았다. 그는 하나님을 너무 잘 알고 있었고 그분을 너무 깊이 체험해 보았기 때문에 평범하게 살 수 없었다. 몇 주 후에 칼라피가 다시 전화하였다. 이번에는 그가 나를 개인적으로 만날 수 있는지 물었다.

다행스럽게도, 나는 칼라피가 머리를 숙이고 팔짱을 낀 채 앉아 있는 것을 보았을 때 그가 하나님께 순종할 준비가 되어 있다는 것을 알았다. 그는 수년 동안 마음에 품어 왔던 상처와 죄책감 등을 쏟아내 놓았다. 슬프고도 흔히 있는 정욕과 교만에 대한 내용이었다. 사실 그는 한번도 완전히 그것을 고백할 수 있었던 적이 없었다. 우리 둘 다 울었다. 내가 칼라피와 함께 기도하려고 그 옆에 섰을 때 나는 여기에 그의 갈등에도 불구하고 하나님께서 사용하기를 원하시는 한 젊은이가 서 있다는 것을 알았다.

칼라피는 그가 수년 동안 섬겨 오던 모든 교회와 YWAM 지부들에게 편지를 쓰기로 결심했다. 그래서 그들에게 솔직하게 그의 죄를 고백하고 그들의 용서를 구하기로 결단을 내렸다. 그는 또 타푸와 통가에 있는 그 자신의 가족에게도 편지를 써서 용서를 구했다. 그 때, 보다 흥미를 자아내는 인도하심이라는 것을 알 수 있는 일이 일어나기 시작했다. 칼라피의 조경 사업이 갑자기 내리막 길을 걷기 시작했다. 칼라피는 중요한 일거리 두 가지를 맡았었다. 그런데 이제 도저히 납득할 수 없는 일이 일어나 자꾸 연기가 되었다. 불도저가 고장나서 그는 또 다른 불도저를 빌렸다. 1시간이나 2시간 후에 또 다른 불도저가 고장났다. 불도저들이 5번이나 부서진 후에 칼라피는 의아해하기 시작했다! 그때 한 친구가 전화해서 근처에 있는 교회의 토요일 저녁 성경공부 시간에 칼라피가 메시지를 전해줄 것을 부탁해 왔다. 처음에 그는 가고 싶지 않았지만 리다가 그를 가도록 권유했다. "그들이 당신보고 설교하라는 것이 아니에요. 칼라피. 그들은 그저 당신의 삶에 무슨 일이 일어나고 있는지, 나눠주기를 원하는 거예요."

그래서 칼라피는 그 모임에 가게 되었다. 토요일 밤 그는 그 교회의 본당 안에 서 있었다. 그가 얼마나 주님께로부터 돌아서려고 노력했었는지 말하고 있었다. 그리고 그가 간음한 것이며, 그의 결혼 생활이 어떻게 파괴되었으며 그리고 지금 하나님께서 어떻게 그를 다시 그분의 품으로 돌아오도록 인도하고 계시는지 말했다. 칼라피는 이 간증을 나누면서 울기 시작했다. 그런데 놀랍게도 첫 줄에 앉아 있던 한 남자가 그의 의자 곁에 무릎을 꿇었다. 또 다른 사람들도 그렇게 하였다. 교회에 있던 모든 사람들이 울고 있었다. 몇 사람은 그날 밤 예수님께 자신의 삶을 드렸고 또 다른 사람들의 깨어졌던 결혼 생활이 회복되었다.

강력한 역사가 있던 날 밤 이후로, 칼라피는 하나님께서 그에게 그의 사역을 돌이켜주고 계시다는 것을 알았다. 그와 리다는 매주 금요일 밤 정기적으로 우리를 방문하기 시작했다. 그들은 새로운 소식들로 활기차 있었다. 칼라피는 마침내 고장난 불도저 운전사들로부터 소식을 받았다. 그리고 그는 그의 사업을 포기했다. 그와 리다는 현재 하나님께서 공급해 주시는 것에 의존해서 살고 있다. 그들은 매주 금요일 밤 그리스도인의 교제모임을 인도하기 시작하면서 예수님께로 사람들을 인도하고 상처받은 몸과 마음이 고침을 받는 것을 보았다.

나는 그의 이혼과 재혼 후에 칼라피의 사역에 대해 궁금해했다. 하나님께서 칼라피의 사역을 회복시키는 것을 보면서 내게 분명해지는 것은 비록 이혼이 하나님의 완전한 계획에 포함되지 않는다 하더라도 그것이 용서받을 수 없는 죄는 아니라는 것이다. 만약 완벽하게 하나님의 뜻 한가운데 있는 것이 사역을 하는 조건이 된다면 우리 중의 몇 사람이나 자격이 있을까? 다행스럽게도 우리가 실패할 때도 하나님께서는 그가 주신 은사들과 부르심을 다시 취해 가지 않으신다.

칼라피가 열매를 맺는 삶으로 돌아오는 것과 동시에 우리 미래의 대학 캠퍼스가 무성하게 자라난 열대성 식물 아래 서서히 모습을 드러내는 것을 지켜보는 것은 정말 신나는 일이었다.

솔직히 말해서 이 모든 것이 진행되는 동안에 거의 4년 전 카네오히에서 우리가 가졌던 철야 기도 시간에 받았던 그 모든 것들 중에 한 가지 아직도 이루어지지 않은 요소가 있다는 것을 나는 거의 잊고 있었다. 그 예언들 중에는 코나 항구에 배가 떠 있는 예언도 있었던 것이다. 그러나 그것은 그렇게 오랫동안 내 기억 속에 잠자고 있지 않았다.

17

배를 포기하지 말라

달린과 내가 코나에 있는 호텔로 이사해 온 지 약 2개월이 지난 어느 날 나는 돈 스티븐스를 방문했다.

"로렌" 돈이 말했다. "하나님께서 배에 대한 비전을 다시 일으키고 계신 게 아닌가 궁금해요."

내 반응은 즉각적이었다. "오! 아니기를" 나는 중얼거렸다. "또 다른 배에 대한 것이 아니기를!" 그렇게 되면 동시에 두 가지 중요한 과제가 생기는 것이다―돈은 내가 중얼거리는 소리를 듣지 못했다. 그는 이탈리아의 베니스에 위치해 있는 배에 관해 설명하기 시작했다. "빅토리아 호라고 불러요." 그의 눈동자는 반짝이고 있었다. "내가 왜 그랬는지 때때로 나 자신도 궁금하지만 나는 유럽 팀원 몇명을 데리고 그 배를 보러 갔었어요. 그것은 크로 오래된 것이었고 전등 기구가 하나도 없었어요. …발전기는 돌아가지도 않고 있었어요. 그것은 그저 물 위에 죽은 것 같이 떠 있는 11,000톤짜리 여객선이었어요."

"그러나 로렌" 돈은 흥분하면서 계속 얘기했다. "배의 상태가 좋지 않기 때문에 틀림없이 아주 싼 가격으로 구입할 수 있을 거예요. 손봐야 될 부분은 많겠지만 우리가 해낼 수 있을 거라고 생각지 않으세요?"

나는 아무 말도 않고 있었다.

"그런데" 돈은 내가 별로 반응을 보이지 않자 기가 꺾여서인지 더 듬으면서 말을 끝냈다. "그 빅토리아 호에는 특별한 무엇인가가 있어요…."

무엇인가 할 말을 찾으면서 내가 물었다. "돈, 배가 무슨 색깔이에요?"

"하얀 색" 돈이 말했다.

이 대화가 시작된 이후 처음으로 카네오히에서 우리가 철야 기도를 가질 때에 우리가 본 항구에 떠 있던 배도…그 배도 하얀 색이었다.

약 2달 후에 한 남자가 빅 아일랜드에 와서 우리가 어디에 사는지 물어 우리를 찾아왔다. 그 사람은 나의 사무실에 앉아 있었다. 지금은 단정하게 정리된 열대성 초목들 너머로 밖을 내다보고 있었다.

"제 이름은 폴 아인스워트이고 토론토에서 왔습니다."

그는 접는 의자가 불편한 듯 자꾸 자리를 고쳐 앉기 시작했다. 나는 미소를 지으며 그를 편케 해주려고 노력했다. "정직하게 말해서" 아인스워트 씨는 이야기하기 시작했다. "선생님, 사실 내가 왜 여기 왔는지 저도 잘 몰라요. 그런데 한 가지는 내가 아주 이상한 경험을 한 것과 그것이 혹시 당신과 관련된 것일지 모른다는 거예요. 아시겠지만 선생님, 나는, 음…나는 환상을 보았어요."

나는 관심이 가기 시작했다. 아인스워트 씨는 말을 더듬거렸다. 그의 말은 며칠 전에 그는 토론토의 한 기도 모임에 참석하고 있었는데 갑자기 그의 눈 앞에 남태평양 지도가 나타났다. 그가 보는 환상 가운데 하얗고 커다란 배가 떠 있었다. 그 배는 하와이 섬들로부터 출발해 남쪽으로 향하는 것처럼 보였다.

갑자기 내 마음이 확 쏠렸다.

"나는 지도 위에 있던 섬들의 이름까지도 볼 수 있었어요." 아인스워트 씨는 말했다. "그 기도 모임에서 어떤 사람이 지도를 꺼내서 내가 환상에서 본 것을 말하는 대로 짚어가기 시작했지요. 모든 것이 그대로 들어 맞았어요."

나는 이제 내 의자의 아주 끝에 걸터앉아 있었다. 아인스워트 씨의 다음 말을 듣자 나의 온 몸에 전율이 왔다. 그는 또 말하기를 "배가 태평양을 통과할 때마다 부흥이 일어났어요. 수천 명의 남태평양 연안의 섬 주민들이 믿고 또 그들 자신이 전도자가 되어 동남 아시아와 인디아, 그리고 중국까지 갔습니다. 수백만이 주님을 알게 되었지요."

그 환상은 2시간 동안이나 계속되었다고 폴 아인스워트 씨가 말했는데 그가 내게 말한 어떤 내용들은 우리에게 적용되지 않는 것 같이 보였다.

"주님, 지금 제가 무엇하기를 원하십니까?"라고 그가 하나님께 물었을 때 주께서 말씀하시기를 "하와이로 가라"고 하셨다. 아인스워트 씨는 하와이에 아는 사람이 아무도 없었지만 순종함으로 여행 계획을 세웠다. 그가 떠나기 전에 한 친구가 종이 쪽지를 그에게 건네주면서 말했다. "이 사람이 당신을 도와줄지도 모르겠소. 그는 하와이에 살고 있소." 폴 아인스워트 씨는 그 쪽지를 비행기 안에서 펼쳐 보았다. 그 곳에 써 있는 것이라고는 로렌 커닝햄이라는 이름뿐이었다.

나는 내가 듣고 있는 사실을 거의 믿을 수 없었다. 아인스워트 씨는 확실히 이 모든 것이 들어맞는다는 어떤 말을 기다리면서 내 얼굴을 자세히 살피고 있었다. 나는 눈물이 쏟아질 것 같았지만 바로 일어나 저쪽으로 걸어가서 어머니가 내게 주신 팻말을 집어 들었다. 나는 그것을 그에게 보여 주었다. 그리고 이 순종한 남자분에게 우리의 얘기를 모두 다 들려주면서 좀처럼 갖기 어려운 특별한 기쁨을 맛보았다. 우리는 둘 다 폴리네시아인들이 웃는 식으로 웃기 시작했다. 그것은 하나님께서 이제 어떻게 배를 현실화시키실 것인지하는 기대감에서 나온 웃음이었다. 어머니가 주신 팻말에는 물론 '배를 포기하지 말라'고 씌어 있었다.

모든 일이 너무 빨리 그리고 극적으로 일어나고 있었다. 놀라운 얘기의 연속은 아직 끝나지 않았다. 아인스워트 씨가 다녀간 후에 달린의 옛 친구로부터 편지 한 통을 받았다. YWAM을 위해서 많은 시간을 중보기도에 보내는 사람이었는데 그는 이렇게 썼다. "주님께서 제게 말씀하시기를 당신과 로렌이 쌍둥이를 낳을 것이라고 하셨어요. 내가 확신하기로는 문자 그대로의 아기를 말하는 것이 아니고 그 쌍둥이는 사역에 관한 것이라고 믿어요. 하나는 배에 관한 것이고 그런데 또 하나는 무엇인지 확실히 잘 모르겠어요…."

여러 곳에서 우리는 쌍둥이에 관해 듣고 있었다! 어떤 것들은 하나님의 인도하심이라고까지 부르기에는 좀 걸맞지 않았지만 그래도 어쨌든 그것에 대해 생각해본다는 것은 재미있었다. 나는 몇달 전에 있었던 즐거웠던 날을 생각하며 기억을 더듬었다. 지미와 제니가 11년의 결혼 생활에 마침내 가족을 갖게 되었다. 제니가 해산날인 1977년 7월 7일 7분 간격으로 남자 쌍둥이를 낳았을 때 우리 모두는 너무나 놀랐다. 하나님께서 쌍둥이에 관해서 우리에게 무엇인가를 말씀하시는 것 같았다.

성경 이야기와 같이 이러한 놀라운 일들로 인해 격려를 받은 후 우리는 빅토리아 호를 사기 위한 협상에 바로 들어가야만 했다. 나는 하나님께서 나에게 확실하게 행하시지 않으면 내가 포기하리라는 것을 아시기 때문에 그렇게 하셔야만 한다는 생각이 들었다. 어떻게 그분이 그러한 과제를 달성시키기 위해 충분한 돈을 공급하실 것인가?

돈이 처음으로 빅토리아 호에 관해 이야기한 지 3개월 후에 우리는 빅토리아 호의 소유주들과 협상을 시작했다. 내가 배의 계약금과 지불 완료기간 그리고 조건부 증서에 대해 심각하게 이야기하고 있는 반면 달린이 우리 호텔 방의 화장실 싱크대에서 설거지하는 것을 보면서 나는 그 둘 사이의 대조에 웃을 수밖에 없었다.

돈은 배의 투시도와 함께 배의 사진을 보내왔다. 그러나 마오리의 경험 후라 나는 투시도를 책상 서랍에 그냥 넣어두었다.

그리고 한달 후인 1978년 4월에 나는 돈 스티븐스를 만나기 위해 베니스로 갔다. 두 가지 목적을 가지고 하는 방문이었다. 400명의 YWAMer들이 베니스의 거리에서 예수님에 관해 사람들에게 이야기하고 있었다. 그들은 도시 변두리의 야영지에 살고 있었다. 그 곳은 빅토리아 호가 정박한 곳이기도 했다.

돈이 공항으로 나를 맞기 위해 나와서 나를 그곳으로 데리고 가면서 그는 협상에 관한 내용을 내게 간략히 들려주었다. 소유주들은 우리의 제안을 검토해 보고 있는 중이었다. 우리는 한 달 전에 그 제안을 제출했었다. 그리고 만일 그들이 팔기로 결정했을 경우를 생각해서 파는 데 필요한 정부의 승인을 구하는 일까지 진행시키고 있었다.

"처음에는 이 사람들이 우리 말을 심각하게 듣지 않았어요." 교통이 복잡해서 우리가 이리저리로 운전해 가는 동안 돈이 말했다. "그렇지만 저는 그들을 탓할 수도 없었어요. 우리는 배에 대해 아무 것도 아는 것이 없어서 어떤 질문을 해야하는 것인지 몰라서 오히려 그들에게 물어봐야 할 정도였으니까요. 우리 주소가 야영지였기 때문에 그들에게 주소를 건네 줄 때는 좀 부끄러웠어요."

우리는 베니스와 본토를 연결해주는 둑길 위를 달려내려가 그 길을 벗어났다. 돈은 도크의 뱃전 기중기 쪽을 가리켰다.

"저기 있어요."

내가 그렇게 안하려고 노력해도 내 마음이 그 쪽으로 달려가고 있는 것을 인정해야 했다. 오렌지색과 검은색의 굴뚝을 가진 그 배가 거기 놓여 있었다. "그리고 그 굴뚝에 있는 상징은 전도자 성 마가의 사자예요. 베니스의 수호 성인이죠. 흥미있지 않아요?" 돈이 말했다.

돈이 나의 꺼리는 듯한 태도를 알아차렸는지는 모르겠지만 하여간 나는 그저 그 순간에는 바로 그 배 위로 오르고 싶지 않았다. 문제는 내가 너무 흥분할지도 모른다는 생각에서였다. 마오리의 경험 이후로 절대로 또 다른 금속 조각을 숭배하고 싶지는 않았다.

그러나 물론 나는 주님께서 돈과 다른 사람들을 통해서 일하시도록 완전히 맡겨놓았다. 그것이 나 개인적으로는 마오리를 통해 배운 영적인 신중함과 폴 아인스워트 씨의 비전을 듣고 가진 담대함 사이의 균형을 유지하는 일이었다.

그래시 나는 돈이 계속 그 일을 추진하도록 격려했다. 돈이 굉장한 과제가 이루어져야 한다는 이야기를 할 때면 내가 오직 해 줄 수 있는 말은 "돈, 그 일을 여러 개 작은 분야로 나눕시다. 그래야 우리가 처리할 수 있겠어요. 하나님은 우리가 한 번에 한 걸음 이상 밟는 것을 기대하지 않아요."라는 말뿐이었다.

나는 흥분과 걱정이 혼합된 느낌을 가지고 집으로 돌아왔다. 달린과 나는 계속 같은 질문을 하기에 이르렀다. "주님, 정말 당신이십니까?" 우리는 큰 전환점이 올 때마다 우리 자신에게 이렇게 묻는 것이 도움이 된다는 것을 전부터 보아왔다. "우리가 받고 있는 인도하심에 얼마만한 초자연적인 요소가 있을까?" 우리가 이적을 구하고 또 극적인 무엇을 구하는 것도 아닌데 이러한 표적들과 극적인 일치가 되는 일들이 일어나는 것이었다. 그런데도 우리가 그것에 주의를 기울이지 않는다면 영적인 어리석음을 나타내는 것일 것이다. 하나님께서 이렇게 말씀하시고 계신 것인지도 모른다. "이 길이 정로니 이리로 행하라."

한달 후에 돈은 협상을 치르고 베니스로부터 전화를 했다. 아주

홍분하고 있었다. 배 소유주들이 우리의 제안을 받아들였고 정부 당국자도 동의했다.

"우리를 보셨어야만 했어요, 로렌!" 돈은 보고했다. "모든 사람이 계약조인을 위해 가기를 원했어요. 우리 중 5명이 조그만 차에 끼어 앉아서 배의 계약서에 서명하기 위해 야영지에서 출발했어요."

거기서 우리는 계약서를 받았다. 우리는 계약금을 지불하기 위해 YWAM 내에서 모은 헌금을 전부 다 긁어모았다. 그러나 돈보다도 원래의 YWAM(복음을 가진 젊은이들)이 가졌던 개념의 가장 핵심이었던 무엇인가가 풀리고 있었던 것이다.

어떤 일에 대해 그것이 정말 하나님께서 인도하시는 것인지 알 수 있는 가장 믿을 만한 테스트는 이것이다. 그것에 관여한 모든 사람들을 주님 안에서 자유와 성숙함으로 한 걸음 더 가까이 이끌어 가는 것인가? 만일 그렇지 않다면 그 인도하심을 의심해 볼 만한 것이다. 그러나 만일 그러한 결과로 이끄는 것이라면 그 인도하심은 하나님께로부터 온 것일 것이다. 이 특별한 경우에 있어 돈 스티븐스는 사역을 위해 특별히 구별된 주요 인물이었다. 그는 뮌헨에서 일을 잘 해내었고 이제는 훨씬 더 어려운 과제를 받게 된 것이다.

이러고 있는 동안에 마치 현미경에 초점이 맞춰지는 것과 같이 우리 대학교에 대한 개념이 점점 더 분명해지고 있었다. 우리 집 문 앞에까지 찾아온 하워드 말름스타트 박사는 하나님께서 지시하신 그대로 정말 우리집에서 계속 머무르고 있었다. 그와 나는 우리 아파트의 푸른 카펫 위에 엎드려 기도하며 계획을 짜고 서로 아이디어를 제출하여 최선의 결정을 내리는 데 두 시간을 보냈다. 하워드는 내게 건축가 한 사람을 소개시켜 주었다. 그는 우리에게 태평양 아시아 기독교 대학의, 관계를 중요시하는 생활 양식에 대한 계획들에 관해 여러 가지 질문들을 퍼부었다. 우리는 그에게 학생들과 스탭, 방문 교수들과 그들의 가족들이 몇몇 장소에 각각 약 280명씩 모두 같이 살게 될 것이라고 설명해 주었다. 학생들의 대부분이 아시아인이나 태평양 연안의 섬사람들일 것이므로 이렇게 하길 원했다. 우리는 그 건축가에게, 사회와 문화를 형성시키는 데 필요한 사람들의 사고를 새롭게 형성시킬 사람들로 이루어진 단과대학들에 대해 얘기했다. 대학들 안에 살면서 생활 환경을 통해 배우는 것을 고무해주도록 설계할 필요가 있었다. 우리의 건축가는 이런 도전으로 흥분해했다. 그는 본토로 돌아가서 캠퍼스 설계도를 그리기 시작했다. 사랑의 수고로써 그것을 우리에게 기증하려는 것이었다.

나는 우리가 직면하고 있는 어마어마한 두 가지 일에 대해 넘겨가 됐다. 물론, 돈에 대한 걱정도 있었지만 그러나 사실 그것은 문제가 아니었다. 주님의 인도하심을 받으려고 하던 우리의 노력을 통해 위험스러운 면이 무엇인가를 이미 알고 있었다. 하나님의 인도는 아주 확실하고 극적인 것이어서 주님에게보다 일 자체에 영광을 돌리게 될 위험이 있다는 것이다. 우리는 마오리 배의 경우에 있어서 그 잘못을 저질렀었다. 우리는 다시는 똑같은 일이 일어나도록 내버려두지는 않을 것이다!

그러나 이제 두 번째 위험 지역이 나타났다. 하나님께서 우리를 인도하실 때 그분도 역시 모험을 하시는 것이다. 만일 우리가 잘못된 선택을 한다면 우리는 하나님에게서 하나님의 영광을 빼앗는 것뿐만 아니라 그분이 마땅히 받아야 할 첫번째 관심까지도 도적질하는 결과가 될 수 있다. 그것을 깨닫지 못한 채 나는 두 번째 위험 지역으로 향하고 있었다. 뮌헨 올림픽 이래로 우리는 주요 국제 스포츠 경기하는 장소에는 다 가려고 노력해 왔다. 그 경기장들은 세계의 축소판이었다. 때때로 우리에게 문이 닫혀진 세계에서 온 사람들을 만날 기회까지 주어지곤 하였다. 그런 경기 중의 하나인 월드컵 축구 대회가 1978년 6월에 아르헨티나에서 4주에 걸쳐 열릴 예정이었다. 앞으로 8주밖에 남지 않았다. 하나님께서 내가 그 곳에 가기를 원하신다는 사실에 만족해하면서 나는 갈 준비를 하였다.

그때 아르헨티나를 향해 떠날 날짜를 며칠 앞두고 한 친구가 본토에서 전화를 했다.

"로렌, 최고의 소식을 전해줄게. 기독교 대학을 위해 많은 돈을 헌금하고 싶어하는 진짜 부동산 개발업자를 만났어." 그는 흥분해서 말했다. "그가 당신과 만나고 싶어하네. 그는 지금 덴버에 있어."

이것으로 인해 우리 생각보다 대학교 설립을 더 빨리 진행시킬 수 있을 것이다! 아마도 월드컵 경기에는 하루나 이틀 늦게 도착하게 될 것이다. 그러나 다른 한편으로는 … "그럼 내가 아르헨티나에 가는 길에 그를 방문하지." 나는 목소리를 진정시키려고 노력하면서 말했다.

그래서 부에노스아이레스로 가기로 되어 있던 그날에 나는 덴버로 비행기를 타고 갔다. 며칠 지난 후 나는 마침내 아르헨티나에 도착했다. 축구 경기는 2/3가량 진행되었다. 나는 팀들과 만나고, 나의 늦어진 시간들을 좀더 열심을 내서 메우려고 했다. 그러나 젊은이들의 정중하고 공손한 분위기는 마치 고등학교 축구 시합 결승전에서 아주 중요한 모임 때문에 경기가 거의 끝나서야 시합을 보러 온 아버지를 대하는 소년들과 같은 것이었다. 우리 스탭들의 사기도 걱정스러웠다. 내가 무엇을 하고 왔는지 설명했는데 아무도 감동을 받는 것 같지 않았다. '이 경기'야말로 우리 모두가 참가하도록 인도하심을 받은 그것이었다. 아무도 겉으로 말하지는 않았지만 나는 생각해봐야 할 일이 있다는 것을 알았다.

그날 밤 아주 늦게 우리 700명이 합숙하고 있는 부에노스아이레스 학교의 내 방에서, 나는 이 경험에 비추어 보면서 인도하심을 받는 원칙에 대해 생각해보기 시작했다.

대학교가 하나님의 마음 속에 있는 소중한 꿈이라는 사실에 대해서는 의심의 여지가 없었다. 그것은 젊은이들의 물결을 사람들의 사고를 형성하는 중심부라는 새로운 선교분야로 보내기 위한 참신한 방법이었다. 그러나 마오리도 역시 하나님의 마음 속에 자리잡고 있던 도구였다. 나는 아직도 그것을 믿는다. 그럼에도 불구하고 그분은 그 배에 대한 것을 죽도록 하셨다. 왜냐하면 배 자체가 영광스러운 일이 되어가고 있었기 때문이었다.

대학교 설립건에 있어서 하나님께 드려야할 우리의 관심은 더 심각한 면에서 위협을 받았다. 하나님은 내게 아르헨티나에 있으라고 말씀하셨다. 나는 아주 분명히 그 지시를 들었다. 그러나 나는 그렇게 하는 대신 돈을 좇아다니는 짓으로 끝을 냈던 것이다.

"인도하심을 받는 첫번째 목표는 우리를 예수님과 더욱 가까운 관계로 이끌어가는 것이다. 모든 다른 목표는 그것에 보조적인 것이 되어야 한다."

"인도하심을 받는 첫번째 목표는 무엇보다도 먼저 인도하는 분과의 관계에 있다."라고 씌어진 벽걸이를 처음으로 갖고 싶었던 것이 바로 이때였다.

하나님께서 우리를 배나 대학교와 같은 도구들을 통해 일하도록 인도하실 때 우리는 특별히 조심해야 한다. 도구들 자체에 잘못이 있는 것이 아니다. 그러나 주님 대신 그 도구들이 그분의 자리를 차지하게 될 때 그것이 슬픈 것이다.

18

아무도 돌보는 사람이 없는가?

우리가 빅토리아 호를 사기 위해 협상을 시작한 지 7개월 후 어느 저녁 늦게 돈이 나와 달린에게 전화하였다. 달린은 우리가 코나 호텔 내의 우리 아파트에 일년 동안 살면서 3개의 방을 아담한 가정으로 꾸미느라고 정성을 기울여 왔다. 그녀는 의자를 이 곳에, 조그만 등을 저 곳에 넣으면서 가구를 조금씩 모으기 시작했다.

"로렌, 다 되었어요." 돈의 목소리는 위성 전화로 들려왔다. 그는 아주 흥분한 것 같으면서도 한편으로는 이상할 정도로 차분한 듯 느껴졌다.

"우리가 배를 갖게 되었나요?" 내가 물었다. 건너편 방에 있던 달린이 고개를 들어서 나 있는 곳을 바라보았다. 지금까지 4개월간 헌금이 격려가 될 만큼 정규적으로 들어왔었다. 우리가 느끼기에 그것은 우리가 인도하심을 받는 데 있어서 주요한 요소였다.

"우리 배를 갖게 되었어요. 배는 아직 항해하기에 적합하진 않지만 우리거예요. 소유주들은 우리에게 배를 넘겨 주기 전에 마지막 잔금이 치르어질 때까지 기다렸어요."

돈은 그들이 배의 식당에서 촛불 감사 연회를 연 다음 갑판으로 가서 전에 달려 있던 깃발을 내리고 우리의 기(旗)로 바꾸어 달 것이라고 했다. "물론 우리 문제들은 이제 막 시작된 거죠, 로렌." 돈이 밀했다. 그가 흥분한 듯도 하고 칙칙한 것도 긷있던 게 당연했다.

"우리 중에는 조합에 속한 선원이 한 명도 없기 때문에 조만간에 우리는 베니스를 떠나야만 해요. 어느 곳이든지 우리는 배를 끌어다 육지에 올려놓아야 하는데 아마도 그리스가 될 것 같아요."

"돈" 대화를 바꾸어야겠다고 느끼면서 내가 말했다. "지금쯤 새 이름에 대해 생각해 놓았을 텐데?" "아나스타시스, 어때요?" 그 이름이라면 우리가 좋아하는 이름이었다. "아, 그것이 적합할 것 같아요."

"그러면 그 배의 이름은 아나스타시스 호야." 나는 다른 수화기로 같이 듣고 있다가 자기도 동의한다는 뜻으로 웃음지어 보이는 달린을 쳐다보고 기뻐하면서 말했다.

아나스타시스(ANASTASIS)는 희랍어로 '부활'이라는 뜻이다.

하나님에 의해 인도하심을 받을 때에 생기는 또 한 가지 문제는 우리의 눈을 계속해서 목표에 고정시키는 일이다. 하나님의 인도하심이 점점 펼쳐지기 시작하면 그것과 늘 우여곡절을 겪어야 하는 일도 함께 오는 것 같이 보인다. 처음에 인도하심을 받을 때에 스릴은 이미 사라졌다. 그렇지만 이같은 인도하심의 결실을 보리라는 흥분감은 여전히 있다. 그 사이에 남겨지는 것이라고는 모두 정신없게 하고, 근육을 긴장시키는 노동뿐이다. '초점을 목표에 계속 맞추는 원칙'이 매우 중요한 시기가 바로 이때인 것이다.

1979년 6월이었다. 내가 처음으로 '우리의 배'를 본 지 1년이나 지났다. 나를 태운 알리탈리아 비행기가 베니스의 운하를 돌며 날아갈 때 나는 목을 길게 빼서 그 배의 모습을 보았다. 60명 가량이 베니스에 모였다. 돈은 전 세계에서 온 YWAM의 지도자들을 가능한 한 많이 만나야 할 필요가 있었다. 그것은 우리가 그를 지원한다는 사실로 그를 격려해 주기 위해서였다. 또한 우리는 배에 대한 우리의 비전이 예수님의 이름으로 나가도록 다시 불붙일 필요가 있었다.

나의 눈은 반짝이는 바닷물을 자세히 살펴보고 있었다. 베니스의 눈부신 태양 아래 여전히 낡은 흰색의 그 배가 있었다. 그러나 굴뚝은 푸른색과 녹색으로 칠해져 있었다. 반 시간 후에 근사한 작은 배로 우리 배를 향해서 출렁거리는 파도를 타고 갔다. 나는 굴뚝에 있는 새롭게 페인트칠이 된 YWAM 마크를 금방 알아볼 수 있었다. 옛 이름은 이제 페인트로 칠해져서 지워져 버렸고 검은 글자로 배 뒤편에 아나스타시스라는 이름이 쒸어져 있었다.

내가 갑판을 올라서자 돈과 대부분의 젊은 자원 봉사자들이 나를 따뜻하게 맞아주었다. 나는 이제 더 이상은 하나님의 나라에서 단지 도구일 뿐인 것에 영광을 돌리지 않겠다고 결심했고, 다시는 반복될 일이 없다는 것을 우리가 알기까지는 그 배에 타기를 꺼려해 왔다. 그러나 나는 522피트나 되는 배 안의 식당들, 앞쪽의 휴게실, 조그만 병원 그리고 5개의 큰 화물 창고 등을 돌아보면서 지금은 내가 여기 있는 것이 기뻤다. 나는 젊은이들이 문지르고, 갈고, 수리하고 페인트 칠한 곳을 알아볼 수 있었다. 취사실 하나만 해도, 청소하는 데 25명이 3주 동안 일해야 했다고 돈이 말했다. 이때쯤 다른 지도자들도 배에 오르고 있었다. 우리 60명은 여행객들이 전에 오랜 바다 여행 동안에 태양을 쬐던 선체 갑판 위에 모였다. 돈은 배를 아테네로 끌고 가서 고치기 위해 준비하는 일의 복잡함에 대해 우리에게 말하기 시작했다. 우리는 원래의 비전과 미래에 전도와 구제 사역을 하는 도구가 될 배에 대한 문제들을 놓고 기도했다. 앞으로 다가올 어렵고 긴 몇 달 동안을 잘 견뎌내기 위해서는 우리에게 이런 것이 필요했다.

아나스타시스 호의 방문이 끝났다. 우리가 탄 조그만 배가 육지로 향하기 시작했을 때 우리 모두 하나님께서 얼마나 그의 백성들이 구제 사역에 참여하기를 원하시는가에 대해 다시금 새롭게 인식할 수 있었다. 다음 단계는 YWAM을 이러한 도움이 필요한 분야에 보내는 아이디어였는데 그 아이디어가 짐과 조이 도우슨 부부의 27살난 아들인 새로운 세대, 존으로부터 나왔다는 것이 나를 아주 기쁘게 했다.

내가 미국으로 돌아왔을 때 존 도우슨이 내게 말했다. "로렌, 하나님께서 내게 계속 말씀해 주시는 것이 있는데…내 생각에는 Y-WAM에 있는 우리 모두를 위한 메시지 같아요."

그는 즉시로 나의 관심을 집중시켰다. 이 젊은이는 하나님의 음성을 듣는 데 있어 자라면서 많은 경험을 했다. 존은 그가 타임지에서 베트남을 빠져나온 피난민에 관한 기사를 최근에 읽었다고 말했다.

존이 말하기를 "로렌, 이 보트 피플 (보트를 집으로 삼고 사는 베트남 피난민들은 일컬음)은 물이 새는 보트를 엄청나게 많은 돈을 주고 사서 베트남을 빠져 나오다가 중간에 해적을 만나거나 총에 맞아 숙기도 하고 아니면 뗏목을 타고 표류하게 돼요." 아무도 이들을 도와주려고 하지 않았다. 그는 이웃 나라들에 있는 초만원인 난민 수용소에 대해 설명했다. "로렌, 나는 그 기사의 제목을 머리에서 지워버릴 수가 없어요. 이것은 그리스도의 몸에게 던져주는 세상의 질문이에요. 그것은 틀림없이 하나님께서 이 사람들에 대해 느끼시는 마음일 거예요. 그는 울고 계세요. '아무도 돌보는 사람이 없는가' 라고 하시면서."

존의 도전이 내 뇌리에서 떠나지 않았다. 결국 이것이 15년 전에 클레오 태풍을 당한 이래로 내가 꿈꾸어왔던 구제 선교 사역의 시작일까?

나는 직접 피난민 수용소를 둘러보기로 결심했다. 몇몇의 다른 Y-WAM 지도자들과 함께 홍콩에 들른 다음 태국으로 갔다. 우리가 첫번째로 방문한 난민 수용소는 홍콩에 있는 것이었다. 홍콩의 주빌리 수용소에서 우리가 보고 듣고 냄새 맡았던 그 광경은 어떤 잡지에서도 감히 보도하지 못한 그런 충격적인 것이었다.

먼저 냄새가 풍겨왔다. 사람들이 배설한 오물의 악취가 그 곳에 들어서기도 전에 코를 찔렀다. 우리가 정문으로 들어가서 안쪽의 복도로 걸어갔을 때 어디에서 냄새가 나고 있는지 알게 되었다. 그 건물의 지하실에는 사람들의 배설물이 8인치나 쌓여 있었다. 우리는 눈에 띄는 대로 길을 조심스럽게 더듬으며 들어갔다. 수용소 관리자들은 벽을 따라 놓여진 부서진 하수관 파이프들을 가리켰다. 도시로부터 연관공을 고용할 만한 돈이 없고, 아무도 그 일을 할 줄 아는 사람이 없거나 아니면 엉망진창이 되어 있는 그것들을 치우려고 자발적으로 일을 시작하는 사람이 없었다. 이 주빌리 난민 수용소는 본래 900명을 수용하도록 지어진 막사였다. 그런데 이 낡아빠진 건물에는 8,000명을 수용하고 있었다. 그저 이 압도적인 숫자의 난민들을 수용할 만한 다른 장소가 없었던 것이다. 각 방에는 공간도 없이 3층으로 된 간이 침대가 빽빽이 들어차 있었다. 한 층에 여러 가족이 함께 머물고 있었다. 한 가족이 2칸의 간이 침대를 사용할 수 있었다. 자는 것뿐만 아니라 음식을 만드는 것까지 모든 것을 위한 장소였다. 측은하게도 과로로 지친 그곳 캠프의 의사들은 어린 아이들이 자다가 높은 간이 침대에서 떨어져 뇌진탕을 일으키기 때문에 그들을 매일 치료해 주어야 한다고 했다.

벌써 내 마음은 분주해지기 시작했다. 우리가 기다려야만 할까? 우리는 아나스타시스 호가 항해를 시작하기 전에 봉사자들을 이 곳에 파송할 수 있을 것이다. 우리는 이 지저분한 것들을 청소할 수 있을 것이고, 아픈 사람들을 도와줄 수도 있다. 그리고 이 사람들에게 예수님께서 그들의 고통을 돌아보시고 그에 대해 무엇인가 해주기를 원하신다는 소식을 전해주는 기회를 가질 수 있을 것이다. 우리는 한 손으로 그의 사랑을, 또 다른 한 손으로는 그의 진리를 전해줄 수 있을 것이다.

우리가 홍콩에서 느꼈던 관심과 그 이상한 흥분감을 우리는 태국에서도 똑같이 느꼈다. 나는 한 엄마가 뼈와 가죽만 남아 그 몸에 비해 머리는 너무 커서 뒤로 축 늘어진 남자.애기를 안고 있는 것을 보았다. 그 아이의 음식은 너무 늦게 나왔다. 내가 그 가느다란 목에서 꼴각거리는 소리를 들었을 때 내 창자가 뒤틀리는 것 같았다. 그가 떨면서 그의 마지막 숨을 몰아쉬었을 때, 그리고 그의 엄마가 죽은 애기를 확 움켜 안았을 때 내 눈에는 눈물이 고였다. '어디에'내 마음 속에서부터 외쳤다. '예수 그리스도의 교회는 어디에 있는가?'

조금 후에 나는 젊은 크메르 루지 군인의 눈을 들여다 보았다. 이 사람이 적의 애기를 공중에 던져 총검으로 찔러 죽인 그런 사람 중의 하나였을 수도 있다. 그 젊은이의 눈은 멍하니 지옥으로 포(砲)문이 크게 열려진 것과 같은 상태였다. 그러나 예수님께서 이 사람을 위해서도 돌아가셨다. 통역을 통해 나는 그 수용소에 있는 1,200명의 크메르 루지에게 말씀을 진했다. 많은 사람들이 하나님의 사랑과 용서 그리고 회개하기를 원하시는 그의 부르심에 대해 우리가 얘기해 줄 때 심각하게 들었다. 그들은 신변에 위험이 있을 것도 무릅쓰고 24명이 나와 함께 기도했다.

내가 코나로 돌아왔을 때 나는 마음이 몹시 무겁기도 했지만 또한 큰 흥분과 성취감도 맛보았다. 마침내 YWAM에 있어서 우리의 구제 사역이 제대로 구실을 하게 된 것이다. 오랫동안 기다렸던 복음의 양면성—하나님께 대한 더 깊은 사랑 그리고 이웃에 대한 더 깊은 사랑—이 마침내 진정한 현실로 나타나게 된 것이다.

몇 주 후에 우리는 젊은이들을 난민 수용소로 보내게 되었다. 돈의 남동생인 게리 스티븐스는 30명이 되는 한 그룹을 이끌고 주빌리 수용소로 가게 되었다. 그들은 난민들도 하기를 싫어하는 일들을 하기 시작했다. 사람들의 오물을 삽으로 퍼내고, 부서진 하수관을 고치거나 화장실을 고쳤다. 게리는 난민들이 무척 감탄하고 있다고 보고했다. 이 젊은이들이 자비(自費)로 수용소까지 와서는 아무도 생각해보지 않은 일들을 하는 것이었다. YWAMer들이 그들의 관심을 끌게 된 것이다. 잘 되어가고 있었다! 시간이 흐를수록 그들이 바라던 그런 기회들이 주어지는 것이었다. 그들이 왜 왔는지에 대해 그들은 질문을 받기 시작했다.

곧이어 YWAM팀은 수용소 담당자들로부터 학교를 열고, 성경 공부 시간을 갖고, 상담을 해도 좋다는 허락을 받았다.

그때 놀라운 일이 일어났다. 하나님께서 그의 창고를 열기 위해서 이 특별한 순종을 기다리고 계셨던 것처럼 보였다. 복음의 양면성 중 두 번째에 대한 강조가 마침내 이루어졌다는 소식이 전해지자 많은 봉사자들이 떼지어 몰려들었다. 그것은 마치 우리가 수백 명의 젊은 남녀들이 그렇게 오랫동안 열리기만을 기다려온 문을 열어준 것과도 같았다. 경험 있는 사람들도 많이 왔다. 의사들, 간호원들 그리고 숙련된 기술자들뿐 아니라 붕대 정도를 감는 작은 일도 기쁘게 할 사람들과 난민 청소년들을 가르칠 사람들도 오게 되었다. 얼마되지 않아 우리는 많은 기회를 발견했다. 예를 들면 그들이 사회에서 자활할 수 있도록 직업 훈련을 시킨다거나, 가내수공업을 할 수 있게 하는 일, 또 음식과 옷을 나눠주고, 영어 교실을 열기도 하며 또한 다시 새로운 사회로 나가 적응해야 하는 사람들을 위해 문화적인 적응을 위해 재교육하는 일이었다. 이 모든 일을 하는 동안 우리는 행동과 말을 통해서 그 사람들은 그들의 하나님 아버지께로 인도하는 복음의 메시지를 전하고 있었다.

하나님의 축복이 다른 곳에서도 역시 넘치고 있었다. 칼라피는 그의 새로운 사역을 잘 해내고 있었다. 옛날의 불타던 마음이 그 자신의 타락된 생활 후에 얻어진 새로운 부드러움과 함께 다시 돌아왔다. 칼라피는 호놀룰루와 싱가포르, 자카르타 등지에서 젊은 전도자들을 훈련시키는 학교들을 시작했다. 수백 명의 사람들이 구원 받았다는 소식이 전해왔다. 그리고 병고침의 역사도 일어났다. 말레이시아에서는 귀머거리 소녀가 즉시로 들을 수 있게 되었고, 인도네시아에서는 칼라피가 기도한 후 오래된 절름발이가 껑충껑충 뛰는 역사가 일어났다. 그리고 복음이 전파된 적이 없는 마을에 교회가 세워졌다는 소식도 들려왔다. 우리는 칼라피가 완전히 회복됐음을 보여주는 이런 소식들로 무척이나 기뻤다.

하나님께서는 이제는 축복 위에 축복을 더하시는 듯했다. 짐과 제니의 가정의 이야기처럼. 나는 혼자 미소지었다. 그들은 11년이나 기다린 끝에 쌍둥이를 낳았었다. 이제 그들 세 번째 아이를 갖게 된 것이다. 특별히 더해진 선물이었다.

YWAM도 역시 그런 식으로 진행되었다. 전세계에 걸쳐 하나님께서 점점 더 많이 재능있는 사람들을 더하시고, 사역의 문도 열어주셨다.

지도자 중의 한 사람인 엘 아기모프를 1980년에 2,000명의 사람에게 복음을 전파하기 위해 소비에트 연방에 보냈다. 또 다른 지도자인 플로이드 맥클랑과 그의 가족은 창녀와 남창들이 있는 암스테르담의 홍등가로 온 가족이 옮겨갔다. 또 다른 사람들은 세계의 다른 지역 곧 아프리카, 남북 아메리카와 같은 지역을 책임지게 되었다. 영적 배가의 법칙이 효력을 발생하고 있었다. 브라질에 있는 Y-WAMer들은 보고하기를 전도 학교(SOE)에서 훈련 받은 젊은이들이 각자 자신의 개척지로 나아가려고 자신들을 헌신하고 있고, 소외된 인디언 부족에게 복음을 전해주기 위해 아마존으로 올라가기도 한다고 했다.

그리고 달린과 나는 우리가 하와이로 옮겨갔을 때 환상을 통해 미리 알았던 것처럼 우리의 관심은 아시아로 향했다. 우리는 팀을 방문하기도 하고, 전도하는 일에 참여하기도 하며, 1,800명의 전임 사역자로 자라는 우리 가족들을 훈련시키는 일을 하였다. 나는 그 대학교 비전이 아직도 하나님의 마음 안에 있다는 것을 확고히 믿으면서 여전히 나의 원래 중심지인 코나 베이스를 책임 맡고 있었다. 그러나 캠퍼스나 건물이 생길 때까지 기다리는 것이 아니라 '우리가 있는 그곳'에서부터 시작했다. 결국 건물들은 도구에 불과할 뿐이기 때문에.

그래서 태평양 아시아 기독교 대학은 시작되었다. 우리는 이 곳에서 방을 빌리고, 저 곳에서 모임 장소를 빌리고, 또 다른 것에서 아파트를 빌려 가르치는 일을 시작했다.

이러는 동안에 우리의 양면 사역 중 다른 한 사역은 여전히 활발히 움직이고 있었는데 이것은 후에 내가 곧 발견하게 된 것이다.

19

물고기 이야기

　지구 반대편에서는 나의 친구 돈 스티븐스와 그의 팀인 175명의 선원과 학생들이 아나스타시스 호의 항해 준비를 위해 최선을 다하고 있었다. 1981년 초에 돈은 아테네에서 전화했었다. 나는 코코낫 야자 나무 사이로 해안의 푸르름을 바라보면서 학교 안에 있는 우리 집의 발코니에 앉아 있었다. 나는 돈이 아테네의 한 공중전화 박스에서 전화하며 서 있는 모습을 그려볼 수 있었다. 그는 간단하게 어떻게 그의 팀들이 일하고 있는지 보고했다.

　"그들은 영웅들이에요." 돈은 그가 그의 팀에 대해 언제나 그렇듯이 자랑스러워하면서 말했다. 돈의 팀인 젊은 남녀들은 냄새나는 배의 밑바닥을 깨끗이 치우기 위해 그 속으로 기어들어가야 했다. 그들은 문지르고, 녹슨 것을 벗겨내고, 윤을 내며 페인트를 칠했다. 그들은 돈이 넉넉치 못해서 한번에 겨우 몇 시간밖에 사용할 수 없는 만큼의 발전기 기름을 사야 했다. 그들의 주식은 주로 땅콩 버터와 쌀과 콩이었다. 아테네 항구 담당자가 그들이 배 위에 살도록 허락을 해주지 않았기 때문에 그들은 최근에 지진에 해를 입은 오래된 호텔에 머물게 되었다. 하와이에서와 마찬가지로 우리는 '도구'(건물이나 캠퍼스)를 기다리지 않기로 결정했다. PACU(Pacific and Asian Christian University : 태평양 아시아 기독교 대학)를 시작하라는 하나님의 부르심에 순종하기로 했다. 그래서 돈과 아테네에 있는 팀도 그들의 도구(배)를 기다리지 않고 구제 사역에 대한 하나님의 부르심에 순종하기로 했다. 그들은 기회가 있는 대로 나와서 지진으로 인해 피해 입고 고생하는 그리스 사람들을 도왔다. 또 매일 사람들이 있는 곳에 가서 복음을 들고 전해주는 데도 아주 열심이었다.

나는 아주 만족했다. "돈" 나는 말했다. "하나님은 우리의 관심이 그의 도구가 아니라 그의 부르심에 있기를 원하신다는 그 메시지를 이제는 우리가 이해해가고 있는 것 같지 않나?"

모든 YWAM 사람들이 배 자체를 위한 엄청난 액수의 돈을 치르는 데 돕기 시작했다. 돈과 디온의 지도하에 있는 젊은이들은 계속적으로 그들 자신의 생활비를 책임져야 했다. 대개는 본국의 친지들에게 정규적으로 소식을 전해주기 위해 보내지는, 돈을 요구하지는 않는 편지 등을 통해서 공급되었다. 또한 어떤 다른 사람에게 편지를 쓰면 전혀 한번도 들어본 적도 없는—때때로 전혀 낯선 사람들을 통해서도 위로의 편지를 받기도 하였다. 아주 흔히 전혀 기대하지 않은 데서 헌금이 들어오곤 하였다.

아나스타시스 호가 항해할 수 있는 시간이 가까워 올수록 기본적인 것의 필요가 더 많이 강조되었다. 왜 젊은이들이 배의 갑판 사이로 기어들어가 깨끗이 청소하는가? 그들은 전도자이기 때문이다. 그들은 벌써 거대한 추수를 위해 하나님께 구했고, 수천 수만 명의 사람들이 하나님의 나라에 오도록 구했으며 더 많은 사람들의 도움을 받도록 구하고 있었다. 이러한 문이 열리기 위한 준비에 돈은 금식하며 기도하는 것과 풍성한 추수를 거두는 것과의 관계에 대해 흥미를 갖기 시작했다. 예수님께서도 광야에서의 금식 후에 놀라운 열매를 맺는 사역을 시작하셨다. 아마도 배에 있는 팀도 같은 일을 해야만 할 것이다!

그래서 돈과 디온 그리고 175명 단원들도 40일 금식을 시작했다. 그들은 돌아가면서 금식을 하기로 했다. 그래서 항상 몇 사람씩은 금식하고 기도하는 영적인 일을 하게 되었다. 나는 넋이 나갈 정도였다. 그리고 뉴질랜드의 도우슨 부부 집에서 가졌던 것과 같은 금식 기도를 기억했다. 그것은 많은 YWAM 사역자들이 생겨나기 바로 직전의 사건이었다.

아테네에서의 40일간의 영적 훈련이 이제 막 끝나가던 어느 날 전화가 울렸다. 돈이었다.

"로렌, 들으실 준비가 되셨어요?"

"준비가 되었어요!" 돈의 목소리가 밝은 걸 보니 좋은 소식이 있는 것 같았다.

"그냥 적어 두세요." 돈이 말했다. "우리에게 무슨 일이 일어나고 있는지 보기 시작하자마자 우리는 아주 정확하게 숫자를 세었고, 이 숫자들은 물고기 한 마리라도 과장된 것이 아니에요. 들어보세요…." 스탭들이 풍성한 수확을 거두도록 인도함을 받기 위해 금식하고 기도하고 있을 때 일어난 얘기에 대해 돈이 말해 주었다.

배의 선원 한 사람이 그들이 살고 있는 호텔 근처 해변가를 걷고 있었다. 갑자기 12마리의 중간 크기의 물고기들이 바위 위로 튀어올라 그의 발 바로 옆 조수가 파놓은 아주 얕은 조그만 웅덩이로 들어왔다. 그는 그 물고기들을 잡아서 다른 이들에게 보여주기 위해 호텔로 달려갔다. 그것은 몇 명의 스탭들의 그날 저녁 쌀을 보충하기 위해 생선 튀김으로 먹을 수 있을만큼 충분한 양이었다. 며칠 후에는 아주 큰 참다랑어 한 마리가 바다에서 튀어나와 바닷가에 떨어졌다. 이번에는 더 많은 YWAMer들이 그들의 저녁 식사에 그것을 조금씩 먹을 수 있게 되었다.

또 며칠 후에 다시 한번 텍사스 주 달라스에서 온 우리 젊은 팀

스탭 하나가 바닷가의 바위 위에 앉아 아침 묵상 시간을 갖고 있을 때, 갑자기 물고기들이 튀어오르기 시작했다. 그녀는 놀라서 어쩔줄 몰라하며 소리를 질렀다. 그 지방 그리스인 가족들도 그 광경을 지켜보고 물고기를 잡기 위해 뛰어갔다. 우리의 베키 자매는 210마리의 물고기를 주웠고, 그리스인 가족들은 우리가 가진 것의 두 배나 세 배만큼 집으로 가져갈 수 있었다.

그러나 가장 큰 물고기의 기적은 이제부터다.

"로렌, 바로 지난 화요일 아침 8시에 물고기들이 다시금 튀어오르기 시작했어요!" 돈과 디온과 다른 사람들은 바닷가로 소리지르며 달려갔다.

바닷가의 아래쪽 150야드에 걸쳐 고기들이 육지로 튀어오르는 것을 볼 수 있었다. 그들은 호텔로 달려 돌아가 플라스틱 양동이, 큰 주발, 큰 자루 등 가지고 올 수 있는 모든 그릇들을 집어 들었다.

"우리 선원들은 우리가 할 수 있는 한 빨리 고기를 주워담는 데 45분이 걸렸어요." 돈이 말했다. 그날 무엇이 물고기들을 그 바닷가로 튀어오르게 했을까? 아무도 몰랐다. 그들의 그리스 친구들이 말하기를 그와 같은 일을 한번도 본 적이 없었다고 했다. 그들은 말하기를 "하나님께서 이들과 함께 하신다"고 했다.

그 큰 물고기 파티가 끝난 후에 그들은 이 예사롭지 않은 방법으로 그들이 얻게 된 물고기가 모두 몇 마리가 되는지 세어보기 시작했다. "로렌, 얼마나 되는지 믿지 못할 거예요! 8,301마리였어요. 1톤도 넘는 물고기죠, 로렌! 우리가 바로 그 바닷가에서 가졌던 찬양 시간을 상상하실 수 있겠죠? 아나스타시스 호의 사역이 과연 아주 아주 특별한 것일 거라는 우리에게 꼭 필요한 격려였어요."

아나스타시스의 구제 사역이 풍성한 수확을 거둘 것이라는 신호로써 물고기가 튀어올라온 것만큼이나 갑작스럽게 조선소에서의 기술적인 일이 매듭지어지기 위해 필요한 마지막 돈이 들어왔다. 기금이 세계 각국에서 들어왔다. 수십만 달러가 YWAMer들에 의해 희생적으로 헌금되어 보태졌고 100헌트리 스트리트, 700인 클럽, PTL클럽, 빌리 그래함 전도협회, 데이비드 윌커슨의 청소년 선교회 그리고 Last days Ministries 등의 단체에서도 헌금해 주었다.

의심할 여지 없이 배의 사역이 태어나는 과정에 있었다.

그러면 대학교에 관한 것은? 우리는 마침내 장기간을 위한 재원을 갖게 되었지만 그렇다고해서 보통 사람들이 퍼시픽 엠프레스 호텔의 오래된 땅 주위를 돌아본다면 이 곳을 대학교라 부르기는 어려울 것이다. 어쨌든 우리는 계속적으로 추진해 나갔다. 우리는 기다리지 않기로 했다. 한 산부인과 의사 친구로부터 이런 말을 들었기 때문이었다. 그 친구는 인도하심을 받기 위해 우리가 기도하는 시간에 경고를 해주었다. 쌍둥이가 태어나는 출산에 있어서는 그들이 '하나'로 취급되어져야 한다는 것이었다.

쌍둥이 중 한 명이 먼저 태어났으면 다른 하나도 곧바로 뒤따라 나와야 하는데 그렇지 않은 경우에는 어머니와 두 번째 아기의 생명이 위태롭게 된다는 것이다. 그는 거듭거듭 "쌍둥이의 두 번째 아기인 PACU가 태어나는 것을 곧 '보아야만' 한다. 그렇지 않으면 엄마—YWAM—나 두 번째 아기가 다 죽을 것이다."라고 말했다.

그 친구의 말은 우리에게 빌딩이나 캠퍼스가 있든지 없든지 우리의 일을 계속해 나가는 데 격려가 되었다. 예를 들어 옥스포드 대학도 수년 동안 무명의 선생님들과 학생들이 장소를 가리지 않고 모여 학교를 진행시켜 갔었다. 코나에서 우리는 몇 가지의 훈련 프로그램을 벌써 시작했고, 상담, 성서에 바탕을 둔 심리학적인 훈련, 준의료 활동 훈련, 학령전 아동을 위한 교사 훈련, 과학, 제3세계로 가기 위해 발판이 될 기술학, 그뿐만 아니라 성경 연구학교, 선교학과 교회 사역 등의 과정을 시작했다. 태아와 같은 단계에 있는 이 학교들은 코나 해변가를 따라, 어디든지 우리가 장소로 발전할 수 있는 어느 곳에서든지 진행되어 가고 있었다.

이 두 가지 사역은 서로 밀접하게 뒤따르면서 진행되었다. 첫번째 출산의 뉴스는 좋았다. 아테네에서의 아나스타시스 호의 바다 항해 시험은 걸리는 것 없이 잘 진행되었다. 마직막 과정은 몰타의 국기 아래 그 배를 등록하는 것이었다. 그렇게 함으로써 우리는 조합에 가입하지 않고 국제 선원으로서 항해하도록 허락이 되었다. 아나스타시스 호의 선원들도 필요한 것을 공급 받음에 있어 하나님께 의지하는 YWAM 원칙에 따르기로 했으므로 오직 조합에 가입한 선원들만 인정해주는 이탈리아의 규정 등을 받아들이기가 곤란했기 때문이었다.

마침내 그날이 왔다.

아나스타시스 호는 닻을 끌어올리고 1982년 7월 7일에 그리스에서 출발하여 항해를 시작했다. 이 날이 짐과 제니의 쌍둥이의 5번째 생일이었던 것은 우연이었을까?

배는 캘리포니아로 오고 있었다.

달린과 나와 14살, 11살인 캐런, 데이비드는 아나스타시스 호를 위한 환영식을 위해 로스앤젤레스에 있었다. 얼마나 특별한 행사인가. YWAM이 처음에 시작한 바로 그 도시로 그 배가 들어오고 있었다.

나는 우리가 침실을 사무실로 바꾼 곳에서 꿈을 가지고 시작한 지 22년만에 얼마나 많은 일이 일어났었는지 생각해 보았다. 우여곡절이 많은 출발이었다. 그러나 너무나 많은 것이 완전한 형태로 나타났다. 내가 하나님의 성회에 있을 때 나의 전 지도자였던 토머스 짐 머만과의 최근의 만남을 뒤돌아 보면서 나는 미소를 지었다. 네 인생의 중요한 시기에 그가 해주었던 역할에 대해 그에게 감사하면서 내가 얼마나 그분을 사랑하고 귀하게 여기는지 말해주었다. 아마도 그는 그것을 깨닫지 못한 상태에서 하나님께서 나에게 주신 비전을 굳게 하는 데 나를 도와주었다. 그 비전은 젊은 사람들로 된 파도가 나 자신의 교파뿐 아니라 '모든' 교파로부터 나가기를 원하신다는 비전이었다. 우리는 헤어지기 전에 가까운 장래에 코나의 우리 학교에 와서 설교를 해주면 좋겠다는 데 서로 동의했다. 나는 그에게 악수하면서 말했다. "감사합니다. 짐머만 형제님….." 그는 실로 귀한 형제였다.

나는 이제 2,000명의 사람들 사이에 서 있었다. 여러 교파와 교회에서 온 많은 사람들은 배가 도착하는 것을 보기 위해 로스앤젤레스 항구 51번 정박구로 모였다. 재미있는 것은 내가 군중의 한 사람으로 구경꾼처럼 서 있다는 것이었다. 돈은 내가 18년 전에 받은 이 비전을 실현시키는 데 아주 효과적으로 일을 해냈다. 이것을 볼 때 배가 된다는 것이 무엇이라는 것을 잘 설명해 주고 있었다.

유명한 가수였으나 최근에 비행기 사고로 죽은 키스 그린의 미망인 멜러디 그린은 우리의 이동식 무대에서 키스가 얼마나 아나스타시스 호의 사역이 시작되는 것을 보기 원했었는지에 관해 이야기 하였다. 그리고나서 키스의 녹음된 노래가 대형 스피커를 통해 흘러나왔다. "거룩, 거룩, 거룩!" 그의 목소리가 51번 정박구를 가득히 채울 때 우리의 큰 하얀 배가 눈 앞에 보이고 도크 쪽으로 서서히 다가왔다. 사람들도 키스의 노래를 따라 부르기 시작했다.

거룩 거룩 거룩/전능하신 주여!/이른 아침 /우리 주를 찬양합니다!

나는 내 주위를 둘러보았다. 모두 사람들은 미소를 짓거나 기뻐하거나 울면서 찬양하고 있었다. 나는 달린을 쿡 찌르면서 속삭였다.

"얼마나 다른지 모르겠소."

"다르다니오?"

"우리가 지금 하나님을 찬양하는 이 장면과 우리 지도자들이 배에 대해 흥분하여 소리지르면서도 그늘에 서 계신 예수님을 외면했던 9년 전에 본 무서운 환상과의 서로 다른 점이 말이오."

"예, 맞아요." 달린이 말했다. 그녀는 내 손을 잡았다. "그분을 더 알아 간다는 것 이것이 하나님의 음성을 듣는 것의 전부가 아니겠어요?"

20
하나님을 더 알아 간다는 것

때는 봄이었고 우리는 코나에 있었다. 몇 주째 불도저가 땅에서 쿵쿵 소리를 내며 PACU를 위한 첫번째 건물을 짓기 위해 돌들을 치우고 땅을 고르면서 돌아가고 있었다 (이제 12살이 된 데이비드에게는 그것을 보는 것이 큰 기쁨이었다).

로스앤젤레스의 51번 정박소에서 공식적으로 배를 환영한 이래로 지난 8개월 동안 많은 일이 일어났다. 아나스타시스는 남태평양을 항해하면서 많은 가난한 자를 도와주었다.

우리의 배가(倍加)원칙은 강하게 적용되고 있었다. 우리 YWAM 선교사들 각자가 배가시킬 수 있는 가능성을 가진 사람들이었다. 짐 로저스 그리고 르랜드 파리스, 플로이드 맥클랑, 돈 스티븐스, 칼라피 모알라 등 많은 사람들은 이제 YWAM에서 그들 자신의 사역을 추진하고 있었고, 그것이 내게 큰 만족을 주었다. 하나님께서 수천 명으로 그 비전을 늘려가고 계셨다.

그와 함께 나는 넘어지기도 하면서 어떻게 하나님의 음성을 듣는지 배우고 있었다. 이제 우리가 초기에 행했던 실수와 성공 등을 발판으로 삼아 이 새 선교사들 각자가 이같은 일을 한다면 얼마나 큰 힘이 풀려 나갈 수 있을까!

'벌써' 얼마나 큰 능력이 나타났던가! 1983년 5월에 세계 각국에서 우리의 주요 지도자들이 우리의 연례 전략 회의를 위해 코나로

왔다. 한 방에 나의 가장 사랑하는 친구들, 동역자들이 모여 있었다. 그들은 차례로 하나님께서 우리 삶 속에 무슨 일을 하고 계시는지 나누었다. 우리는 다음과 같은 것을 배웠다.

• 우리의 최근 보고에 의하면 1983년 12월에 이르면 YWAM들은 전 세계 223개국 중 193개국에서 일하게 될 것이다.

• 금년에 적어도 15,000명의 단기 지원자들이 사역지에 나갈 것이다.

• 1983년 12월까지 3,800명의 전적인 사역자가 있을 것이다. 그중의 1/4은 제3세계에서 올 것이다.

• 금년말까지 113개의 영구적인 지부와 70개의 학교를 40여 개국에 가지게 될 것이다.

• 우리는 특별한 도움이 필요한 곳마다 모든 공급품을 싣고 갈 수 있게 되었다. 배를 통한 사역 외에도, 전쟁이나 가난으로 인한 희생자들에게 5대륙의 12개국에서 도움이 베풀어지고 있다.

• 태국 한 나라에서만도 YWAM 사역자들이 매일 700명의 난민 아이들을 가르친다.

• 작년에 우리는 30,000명의 난민들에게 새 옷을 주었다.

• 1년 동안에 30여 개국의 다른 나라에서 온 1,000명의 젊은 전도자들이 소련으로 파송되었다.

• 매달 헐리우드에 있는 YWAM 사람들은 대부분이 10대인 가출 소년, 소녀, 창녀들의 상담 전화를 2,000건씩 받고 있다.

우리는 우리의 젊은 선교사들이 히말라야 산지에 있는 나라들과 위쪽에 있는 아마존, 일본의 펑크족들에게로 가고, 프랑스의 거리에서 드라마를 하면서 복음을 전하고 또 홍콩의 빈민촌의 사람들에게 음식을 공급하며, 레바논에 의료품을 전달하고, 굶어가는 아프리카 부족민들을 돕고, 여러 멕시코 도시에 성경을 공급하고 있다는 이야기를 보고받았다.

내 친구들이 그들이 맡은 선교지에서 그들이 하는 일을 나눌 때 나는 내 마음에 큰 파도같이 흥분된 마음이 일어나는 것을 느낄 수 있었다. 나는 아주 젊었을 때 아프리카를 방문했던 일을 기억했다. 구릿빛 얼굴의 추장에게는 내가 우리 모두를 만드신 그 크신 하나님에 대해 이야기한 첫번째 선교사였다. 그러나 나는 비행기를 타고 떠날 때 수천 개의 모닥불로부터 위로 솟구치는 연기를 보았다. 나는 그때 지상명령의 중요성을 다시금 절감했었다. "온 천하에 다니며 만민에게 복음을 전파하라"고 했음에도 불구하고 아프리카 마을의 연기는 아시아의 수많은 인구들에게는 미치지도 못한다. 아시아에는 40,000명의 사람이 하나의 높이 솟은 아파트에 살고 있다. 세계 인구의 60%를 차지하고 있는 아시아인 중 대부분이 예수님에 대해 들어본 적이 없는 이들이었다!

우리는 1년에 15,000명의 봉사자들을 파송하지만 그러나 필요로 하는 숫자에 비하면 조그만 파편에 지나지 않는다. 이 사역자들 각자가 100명을 상대한다고 해도 40억의 인구 중 150만명밖에 상대하지 못한다! 일꾼이 아직 부족하다. 오직 하나님만이 파도의 비전을 이루실 수 있고 지구상에 있는 모든 사람이 그들을 향한 하나님의 사랑을 개인적으로 들을 수 있게 하실 수 있는 광대하신 분이시다.

그 전략 회의의 마지막 날 밤에 우리는 대학교 부지를 하나님께 바치기 위한 예배를 드리려고 밖으로 나갔다. 우리는 불도저에 의해 갈리고 대략 다듬어져 있는 거친 땅 여기저기에 섞여 앉았다.

우리는 '세계의 광장'이 있게 될 그 대지 위에 둥글게 섰다. 태양이 뒤에서 푸른 태평양 위로 지려 하고 있었다. 나는 우리가 일하고 있는 나라들의 국기를 바라보았다. 국기들이 어두운 코발트색 하늘에서 휘날릴 때 나는 젊은이들로 이루어진 파도가 밀려나가는 것을 볼 수 있었다. 나는 본래 1,000명을 꿈꾸지 않았던가! 나는 이제 모든 대륙이 온 마음을 다해 주님을 사랑하고, 이웃을 네 자신과 같이 사랑하라는 복음의 양면적 메시지를 들고 그들에게로 들어가는 수십만 명의 사람들로 덮이는 것을 상상할 수 있다.

오직 한 가지 남아 있는 일은 이제 7개월 안에 일어나게 될 것이다.

1983년 12월 27일, 토요일 아침이었다. 태양이 하와이 뒤로부터 떠오를 때, 우리 전체 이야기를 최종적으로 상징해주는 시금석이 될 만한 것이 나타났다.

달린과 나, 캐런과 데이비드와 어머니와 아버지, 그리고 달린의 부모님은 열심히 바다 쪽을 바라보고 있는 2,000명 사이에 서 있었다. 꼬마 아이들은 그들 부모의 어깨 위에 걸터 앉아 있었다. 그때 서서히 하얀 배가 수평선 위에 나타나기 시작했다. 사람들이 박수치고 있었다. 외침 소리도 있었다. '영광!' '하나님을 찬양하라' 하와이식 찬송가가 항구에 퍼져 나가는 것과 동시에 카누가 그 배를 마중하기 위해 급히 나갔다.

10년 전에, 10대들이 여기 하와이에서 함께 기도하는 동안에 미래를 예언하는 주님의 놀라운 일을 경험했을 때 우리는 큰 하얀 배가 항구로 들어오는 것을 보았었다. 모든 논리를 벗어난 일이었지만 우리는 언젠가 이것이 코나 항구로 들어오는 우리 구제 선교 사역을 위한 배라는 것을 알았었다.

그리고 이제 그 배가 여기 있다.

아나스타시스—부활, 너의 꿈을 제단 위에 올려 놓아라. 그것이 도리어 더 큰 것으로 되어서 부활될 것이다.

내가 어떻게 말로 설명할 수 없는 이 기쁨을 맛보지 못한 사람에게 설명할 수 있을까! 그분이 실패할 수밖에 없는 인간과 더불어 일하시면서 그들을 이처럼 귀한 어떤 것으로 인도하시는 그 주님을 지켜보는 이 표현할 수 없는 기쁨! 우리가 보고 있는 것—우리 뒤에 있는 대학교와 우리 앞에 있는 배—이것은 주 예수님 자신으로부터 오는 기쁨과 승리의 함성이라는 것이 내 마음에는 너무나 확실했다.

우리는 마침내 인도하심을 받는 모든 가르침 중의 가장 큰 것을 배웠다.

그것은 정확히 달린이 내 손을 잡고 속삭인 말 그대로였다.

"이것이 하나님의 음성을 듣는 것의 전부가 아니겠어요, 로렌? 그를 좀더 깊이 알아 간다는 것 말이에요"

꼭 기억해야 할 12가지 요점
하나님의 음성을 듣는 법

만약 당신이 주님을 안다면 당신은 이미 그분의 음성을 듣고 있는 것이다.—당신을 그분께로 처음 이끈 내적인 인도하심이 바로 그것이다. 예수님께서는 언제나 하나님 아버지와 함께 의논하셨다(요 8: 26—29). 그래서 우리도 그렇게 해야 한다. 하늘에 계신 아버지의 음성을 듣는 것이 하나님의 자녀된 우리 모두의 기본적 권리이다. 이 책에서 우리는 하나님의 음성을 듣는 여러 방법 중 몇 가지를 선정하여 설명하려고 노력했다. 발견되어진 것들은 결코 이론만은 아니었다. 그것들은 우리 자신의 모험에서부터 나온 것이었다.

1. 인도하심을 받는 것을 복잡하게 만들지 말라. 만약 당신이 정말 하나님을 기쁘시게 하고 하나님께 순종하기 원한다면 하나님의 음성을 듣지 못한다는 것이 이상한 일이다. 만약 당신이 겸손하기만 하다면 하나님은 당신을 인도하신다고 약속하셨다(잠 16:9). 여기에 우리가 하나님의 음성 듣는 것을 도와줄 간단한 3가지 단계를 제시한다.

• 그의 주되심에 복종하라 당신 마음에 가득한 당신 자신의 생각, 희망 그리고 다른 사람들의 의견에 대해 포기할 수 있도록 주님께

도움을 구하라(고후 10:5). 당신이 웬만한 좋은 생각을 가지고 있다고 하더라도 이제는 가장 좋은 생각을 갖고 계신(잠 3:5,6) 그분의 생각을 듣도록 하라.

• 사탄을 대적하라 이 순간에 사탄이 당신을 속이려 할 때 예수 그리스도께서 사탄의 목소리를 잠잠케 하기 위해 당신에게 주신 그 권위를 사용하라(약 4:7, 엡 6:10—20).

• 응답을 기대하라 당신 생각 속에 있는 그 질문을 한 후에 그분이 대답하시도록 기다리라. 당신의 사랑하시는 하늘의 아버지께서 당신에게 말씀해 주시기를 기대하라. 그분이 말씀하실 것이다(요 10:27, 시 69:13, 출 33:11).

2. 하나님께서 원하시는 방법대로 당신에게 말씀하시도록 허락하라. 하나님께 당신이 원하는 인도하심의 방법에 대해 지시하려고 노력하지 말라. 당신은 그의 종일 뿐이다(삼상 3:9). 그러므로 순종하는 마음을 가지고 들으라. 순종과 듣는 것에는 직접적인 연관이 있다. 하나님께서 당신에게 말씀하실 것을 선택하실 것이다. 그의 '말씀'을 통해서— 이것은 당신의 매일 성경 읽기 시간을 통해 올 수 있다—하실 수도 있으며, 아니면 특정한 성경 구절을 지시하실 것이다(시 119:105). 들을 수 있는 음성을 통해서든지(출 3:4), 꿈을 통해서(마 2장), 그리고 환상(사 6:1, 계 1:12—17)을 통해서도 말씀하신다. 그러나 가장 흔히 있는 방법은 조용하게 내적으로 들려오는 음성(사 30:21)을 통한 것이다.

3. 용서받지 못한 어떤 죄든지 있다면 고백하라. 당신이 하나님의 음성을 듣기 원하면 깨끗한 마음은 필수적이다. (시 66:18)

4. 도끼 머리 원칙을 사용하라. 열왕기하 6장에 있는 이야기에서

나온 내용이다. 당신이 나아가야 할 방향을 잃어버린 듯하면 하나님의 분명한 음성을 가장 마지막으로 들었다고 확신하는 그곳으로 돌아가라. 그리고 순종하라. 열쇠가 되는 질문은 '하나님께서 당신에게 명령한 마지막 일에 당신은 순종하였는가?' 이다.

5. 당신 자신이 인도하심을 받아야 한다. 하나님께서는 다른 사람을 사용하여 당신의 방향을 확인시킨다. 그러나 당신이 하나님께로부터 직접 들어야 한다. 당신을 위한 하나님의 음성을 듣는 데 다른 사람을 의지하는 것은 위험스러운 일이다(왕상 13장).

6. 하나님께서 허락하실 때까지는 다른 이에게 당신이 인도하심 받은 것을 말하지 말라. 때때로 이 일은 즉시로 일어난다. 그러나 또 기다려야 하는 때도 있다. 기다리는 주요 목적은 인도하심을 받는데 따르는 4가지 함정을 피하기 위해서이다.
 1) 교만 : 하나님께서 무엇인가 당신에게 말씀하셨기 때문에
 2) 추측 : 내가 완전히 이해하기 전에 이야기하므로
 3) 하나님의 때와 방법을 놓치기 쉽다.
 4) 다른 사람에게 혼란을 가져다 준다. 그들도 역시 준비된 마음이 필요하다(눅 9:36, 전 3:7, 막 5:19).

7. 동방박사의 원칙을 사용하라. 세 동방 박사는 각각 별을 따라왔으나 그러는 동안 모두 다 똑같이 그리스도에게로 인도함을 받은 것과 같이 하나님께서는 때때로 둘이나 그 이상의 더 영적으로 민감한 사람들을 사용하여 하나님께서 당신에게 말씀하신 것을 확인시키실 것이다(고후 13:1).

8. 속임수에 대해 조심하라. 위조지폐에 대해 들어본 적이 있는

가? 당신은 종이 봉지를 위조했다는 소리를 들어본 적이 있는가? 없을 것이다. 그 이유는 위조할 가치가 있는 것만 위조하기 때문이다.

사탄은 그가 할 수 있는 한 하나님의 모든 것을 모조하려고 한다(행 8:9—11, 출 7:22). 예를 들면 점괘, 강신술, 운수, 점성학 등을 통해(레 20:6, 19:26, 왕하 21:6) 가짜 인도하심을 나타낼 것이다. 성령님의 인도하심은 당신을 예수님께로 가까이 이끌고, 진정한 자유를 얻게 하실 것이다. 사탄의 인도는 하나님께로부터 당신을 멀어지게 하고, 당신을 속박할 것이다.

진정한 인도하심인가를 시험해보는 한 가지는 당신이 받았다고 생각하는 그 인도하심이 성경의 원칙을 따르고 있는가를 보는 것이다. 성령님께서는 결코 하나님의 말씀에 어긋나도록 인도하시지 않는다.

9. 사람의 반대는 때때로 하나님께로부터 온 인도하심이 될 수 있다(행 21:10—14). 우리 자신을 돌이켜 볼 때 우리는 나중에야 그것을 깨달았다. 우리 교파로부터 장애를 받는다고 여겨졌던 것이 사실은 하나님께서 더 넓은 규모의 사역으로 우리를 인도하시기 위한 것이었다. 여기서 중요한 것은 주님께 복종하는 것이다(단 6:6—23, 행 4:18—21). 거역하는 것은 결코 주님께로부터 온 것이 아니다. 그러나 때때로 주님은 우리를 당신의 지도자로부터 잠시 곁으로 비켜 서 있기를 원하실 때가 있다. 반항하기 때문이 아니라 그의 계획의 일부로써 말이다.

하나님께서 당신 마음에 이 둘이 어떻게 다른지 알려주실 것을 기대하라.

10. 예수님의 모든 제자들은 각자가 다 독특한 사역이 있다(고전 12:1, 벧전 4:10—11, 롬 12장, 엡 4장). 당신이 하나님이 음성을

더 자세히 들을수록 당신은 당신의 부르심에 더욱 효과적이 될 것이다. 인도하심을 받는 것은 장난이 아니다. 하나님의 사역에 있어서 우리가 무엇을 하기를 원하시는지, 그리고 그것을 어떻게 하기를 원하시는지 배우는 심각한 것이다. 하나님의 뜻은, 올바른 사람과 함께, 올바른 일의 연결 안에서, 올바른 지도력하에, 올바른 마음의 태도를 가지고, 올바른 수단을 사용함으로써 옳은 일을 옳은 장소에서 행하고 말하는 것이다.

11. 하나님의 음성은 들을수록 더욱 쉬워질 것이다. 이것은 마치 전화를 받자마자 가장 가까운 친구의 음성을 알아내는 것과 같다. 당신이 그의 음성을 많이 들어왔기 때문에 그의 음성을 아는 것이다. 어린 사무엘과 나이가 들었을 때의 사무엘을 비교해 보라(삼상 3:4—7, 8:7—10, 12:11—18).

12. 주님의 음성을 듣는 가장 중요한 이유는 하나님과의 관계이다. 하나님께서는 무한하실 뿐 아니라 인격적이시다. 만약 당신이 하나님과 대화를 하지 않는다면 당신은 하나님과 개인적인 관계를 갖고 있는 것이 아니다. 진정한 인도하심은 달린이 지적한 대로 인도하시는 분에게 더욱 가까이 가는 것이다. 하나님께서 우리에게 말씀하시고, 우리가 하나님께 귀를 기울이고 순종하여 그의 마음을 기쁘시게 해드릴수록 우리는 주님을 더욱 잘 알아 가게 될 것이다(출 33:11, 마 7:24, 27).

하나님, 정말 당신이십니까?

초판 발행 / 1989년 2월 24일
12쇄 발행일 / 1994년 9월 28일
출판등록 / 1989. 2. 24 (제2-761호)
공저자 / 로렌 커닝햄
　　　　제니스 로저스
발행인 / 고　용　수
발행처 / **도서출판 예수전도단**
주　소 / 서울시 관악구 신림 9 동 241-34
전　화 / 871-6983　FAX / 871-6984
컴퓨터편집 / 진솔DTP
인쇄처 / 두리프로세스

YWAM (Youth With A Mission)은
젊은이들로 하여금 효과적으로 온 세계에 복음을
전할 수 있도록 하기 위하여 로렌 커닝햄 목사에
의해 1960년 설립되었다.
예수전도단은 미국 남장로회 선교사인
David E. Ross (오대원) 선교사에 의해 1973년 말에
설립되었으며 1980년에 YWAM과 연합하여
선교사역을 감당하고 있다.
1988년에 사단법인으로 등록하였으며
온 세계를 복음화하려는 초교파 선교단체이다.

예수전도단 출판사는 예수전도단의
문서선교를 담당하고 있다.
출판사에서는 한국교회 안에 찬양으로
드려지는 예배에 대한 출판물을 제작하였으며
영감있는 찬양의 보급과 문화를 통한 효과적인
전도방법의 개발, 영적성장의 향상을 위한
성경공부 교재 개발, 찬양 테입의 제작과
신앙경건서적 등의 출판물을 발간하여
한국교회내에 새롭고 신선한 문서선교의 장을
열어 놓는 데 앞장서 오고 있다.